D0228284

Rencontre d’une vie

Ron Uribe

Rencontre d'une vie

Publibook

Retrouvez notre catalogue sur le site des Éditions Publibook :

http://www.publibook.com

Éditions Publibook
14, rue des Volontaires
75015 PARIS – France
Tél. : +33 (0)1 53 69 65 55

IDDN.FR.010.0118172.000.R.P.2012.030.31500

Cet ouvrage a fait l'objet d'une première publication aux Éditions Publibook en 2013

Préface

« Il faut bien tenter de se rejoindre. Il faut bien essayer de communiquer avec quelques-uns de ces feux qui brûlent de loin en loin dans la campagne. »

Saint-Exupéry – *Terre des hommes*

Il faut bien tenter, de dire l'indicible. S'il est un choix à faire entre se résigner ou accepter, entre l'à-quoi-bon et le pourquoi-pas, alors essayer est un geste nécessaire. Et tu essayes, mon ami, dans une langue si simple qu'elle s'adresse même – devrais-je dire surtout ? – aux enfants.

Longtemps j'ai cherché l'homme. Sous tous les vents, à la croisée de cent peuples, dans le reflet des miroirs, de l'homme je n'ai trouvé au mieux que la moitié apeurée. Colère et mépris, brouillard et peine immense, de tel alliage était, aussi loin qu'il m'en souvienne, l'enclume fidèle qui oppressait ma poitrine, sur laquelle nulle lame propre à trancher ne pouvait être forgée.

Au détour de quinze années d'errance je me cognai à ton ombre. Dans l'évidence de la rencontre je me souvins brièvement que nous nous connaissions déjà. Une note et un silence au creux d'une partition plus vaste que nous, écrite toute entière au-dedans de nous. Sous l'écorce de la peau faite de la poussière et de la mémoire même des pierres il est un seul sang et dans ce sang une seule eau, dont le murmure ténu nous dit une source. Le chant de cette source était notre langage commun, en est-il besoin d'autre ? Ainsi après l'errance je sus qu'était venu le temps du voyage immobile : ne plus chercher enfin, mais se laisser trouver.

Et tant à désapprendre !

Car ce n'est point l'homme que je vis ce jour là, mais juste son doigt. Et c'eût été illusion encore, que de croire l'homme caché derrière. Et c'eût été malentendu aussi, que d'attendre direction de ce doigt pointé, comme un panneau dans lequel tomber. Au bord d'un pays sans chemin, rien de plus qu'un jalon discret. Rien de moins que l'affirmation de tous les possibles.

Les situations, les personnages de ce récit sont authentiques. L'adolescent, Ron Uribe. Manter le jardinier. L'idiot et le funambule. Le premier est aussi lourd de maux qu'avide de mots. Dans son sac comme un trésor, il porte mêlé à un passé desséché, l'héritage de son espèce, toutes choses qui le poussent à croire en sa souffrance autant qu'en un nécessaire remède. Il traîne dans sa chair une nostalgie puissante, sans pouvoir la nommer, car enfin peut-on être nostalgique de ce qui est à venir ? Le funambule ne porte pas de sac. Et ses mains sont vides. La guérison n'est point son affaire. La ronde du maître et de l'élève n'est point sa danse. En équilibre sur le fil de son impeccabilité, vivant, familier du paradoxe il se tient là où l'accord engendre le mouvement. Dans l'intensité. Inlassablement l'idiot est conduit à confronter la foule bruissante de ses idées au verdict de l'action. Par-delà la contradiction embrasser puis traverser son animalité, pour éprouver le plein tendre vers le vide, jusqu'à sentir le fil sous ses pieds. Nature, « ce qui naît »... Et tel qui aspire à naître, ne peut s'enfanter que de lui-même. Connaître, « naître avec »... Et si comme l'explique Manter en ces pages, le savoir est à la connaissance ce que l'imperméable est à la pluie, il n'est alors qu'à se souvenir que tout est déjà là...

Il n'est pas assez de distance entre nous Ron, pour exprimer des remerciements. Cette gratitude qui s'éprouve, qui nous lie, n'est pas affaire de personnes elle perdrait de son sens à se dire. Tout simplement, elle se respire… Qu'importe le bruit des pas accomplis. Ce n'est pas soi que l'on raconte. L'histoire est prétexte pour le témoin à évoquer ce qu'il ne peut ni ne doit définir, et qui occupe tout l'espace entre les mots.

Voici une histoire.
Voici l'homme, et son amour.

> « Ainsi l'essentiel du cierge n'est point la cire qui laisse des traces, mais la lumière. »
>
> Saint-Exupéry – *Citadelle*

Tapale Lenénaon

« J’ai trouvé le chaînon manquant entre le singe et l’Homme : c’est nous ! »

Konrad Lorenz

Chapitre 1.
La rencontre

« Quand on met le poids de la vie non dans la vie, mais dans l'au-delà – dans le néant – on a tout simplement privé la vie de sa gravité. ».

L'antéchrist – F. Nietzsche

Terre sèche et vent froid
Pierres blanches et salées
Parfums mauves et suaves

Ses mots
M'ont fait trembler bien des fois
Et empêché de dormir bien des nuits

C'est la plus belle chose qu'il me reste
Des nuits et des tremblements

Il est passé devant le soleil. J'étais assis sur une pierre reprenant un souffle effiloché aux branches et rochers du chemin. Un sentier qui gravissait en serpentant cette petite montagne que les gens du coin appellent « le pilon du roi ». Le pilon, c'est un gros rocher gris qui s'élève comme un doigt, il pointe vers le ciel plus de soixante-dix mètres de falaise. Son périmètre ne dépasse pas la centaine de pas. Depuis combien de millions d'années m'attendait-il, secoué par un vent qui lui livrait une bataille incessante ? L'adolescent que j'étais, venait chercher auprès de lui une sorte de protection paternelle. Il était aussi un ami à qui je confiais mes peines et mes craintes. Pas un arbre n'avait réussi à prendre pied ici, que des pierres et de la poussière en guise de terre. Un vent fou hurlait jour et nuit presque trois cent soixante cinq jours sur trois cent soixante cinq. Il y avait bien quelques pins sylvestres sur la façade sud, un peu plus bas. Le vent passait au-dessus de leur tête en les ignorants. Quelles bêtes auraient pu vivre là ? Quelques chèvres dans le temps de Pagnol avaient sans doute dessiné ces sentes encore visibles de nos jours.

Lorsqu'il s'arrêta devant moi, en sifflant un salut qui ressemblait au chant du mistral sur le roc, je ne pus rien discerner d'autre que ses chaussures, tant le soleil éblouissant faisait de lui une ombre chinoise gracieuse, et de moi, une tomate roussie. Je ne l'avais pas entendu arriver. Sa voix me fit sursauter, je venais de m'asseoir un instant plus tôt. Comment avait-il pu se trouver devant moi si rapidement, sans que je perçoive son mouvement ? Je me répondis en moi-même que le bruit de ma respiration essoufflée avait dû recouvrir celui de ses pas, et que sans doute il n'était guère loin quand je décidai de m'arrêter. Le vent, la sueur, mon souffle haletant et la chaleur m'avaient coupé d'une partie de mes sens. Ses chaussures étaient des sandales de cuir. Comme celles que les moines portaient au temps jadis, du moins c'est ce que je me figurai. Lorsqu'il s'aperçut de ma gêne et de mon éblouissement, il s'écarta un peu me laissant le loisir de le regarder. Tout d'abord ce sont ses yeux foncés et légèrement riants qui me frappèrent, puis son chapeau de feutre noir enrubanné d'un tissu multicolore. Sous sa chemise fleurie, grande ouverte, brillait une sorte de débardeur blanc sans tâche aucune. Un homme entre cinquante-cinq et soixante-cinq ans se tenait devant moi, droit dans son jean, appuyé sur un bâton de marcheur.

« Belle journée pour marcher en solitaire, n'est-ce pas ? » me lança-t-il comme pour démarrer une conversation ou me rassurer.

C'était le jour de mes dix-sept ans. Le premier jour d'une année de longues marches dans la nature, en pleine forêt et dans les collines entre Marseille et Gardanne. Mais ces marches n'étaient pas de simples randonnées. De celles où l'on compte le temps et les pas pour s'assurer du chemin parcouru, c'étaient des marches vers Dieu, ou du moins ce que je croyais être Dieu. Il fallait bien qu'un créateur existe, cela représentait pour moi la clé de toutes les énigmes, « où était donc l'erreur ? Car il n'y avait pas de doute, la cigogne s'était trompée de planète ! ». Alors, je le cherchais, persuadé qu'il se montrerait plus facilement dans des lieux comme celui-ci. Le silence des sommets doit ressembler à celui des déserts, l'esprit s'y occupe différemment. Le dialogue intérieur se simplifie, les pensées se réduisent, réduisant l'ego. Ce n'est pas vous qui accomplissez la métamorphose, non, c'est bien la force qui habite ces endroits. Celle qui respire sous le manteau du silence. Vos pensées se dilatent, vous touchez à des parties secrètes de votre être. Le dialogue n'est pas stoppé, il change de forme, comme si une troisième voix se mêlait à votre conversation interne. Pour ces raisons, je ne me sentais pas seul lorsque je me trouvais sur la montagne. Je parlais avec quelqu'un, je ne pouvais le nommer ni le définir, mais je sentais bien sa présence. La « chose » était là, dans l'air et parfois dans la pierre, elle flottait comme un fantôme, elle me touchait la peau parfois, me caressait les cheveux, me faisait frémir dans un sentiment mêlé de joie et de crainte.

Selon mes parents, j'étais un enfant difficile. Mon premier souvenir remonte à l'année mille neuf cent cinquante sept. J'avais donc deux ans. Nous vivions au Maroc, dans la ville de Casablanca. Pays que nous quittâmes l'année suivante à cause des troubles politiques que le monde appelait les « évènements ». Qu'a donc déposé ce pays dans mes cellules ? Je me souviens des images qui me hantaient durant ces années qui suivirent. Souvent elles surgissaient de cette mémoire qui ne porte pas bien son nom. Au hasard d'une conversation, au détour d'une rue, en pleine classe alors que l'instituteur, Mr Pierron, m'interrogeait sur la leçon que je n'avais pas su retenir. C'étaient des images emplies d'une lumière blanche éblouissante. Voilà ce que ce pays et surtout cette ville blanche a imprégné dans ma chair. Ce devait être une après-midi, je venais de me réveiller d'une sieste indispensable. Les murs de la salle où ma mère avait installé mon lit étaient colorés sans doute, mais je ne m'intéressais ni aux murs ni aux meubles, ni aux toits. Seul le couloir avait un sens pour le petit bonhomme que j'étais, il donnait sur la cour extérieure. Au bout de ce couloir une énorme bouche aveuglante me faisait signe d'approcher. A cause de cette lumière, je ne pouvais regarder devant moi pour me diriger. Mes mains devant les yeux, j'avançais en suivant les dalles qui traversaient la pelouse. Mon instinct de petit garçon devait savoir qu'en marchant vers la chaleur de la cour, je trouverais la « mère » allongée dans sa chaise longue, sous l'ombre généreuse et lourde d'un palmier. Je traînais derrière moi le petit drap blanc dont on me couvrait afin que les mouches ne perturbent pas trop mon sommeil. Je marchais en grimaçant, j'étais mécontent comme un enfant qui vient de s'éveiller et voit sa solitude. Les enfants ont toujours peur d'être abandonnés, n'est-ce pas ? Je me souviens avoir traversé la cour en gémissant. Celle qui fut mon premier repère dans la vie. Celle dont je ne pouvais douter, émergea de son sommeil en marmonnant des mots qui sonnaient comme une réprimande. Il n'était pas bon que l'enfant soit déjà réveillé, qu'on allait le reconduire illico jusqu'à sa couche. Tel est le premier souvenir que j'ai de mon entrée dans ce monde. Une grande chaleur, une lumière aveuglante, des panneaux blancs partout qui renvoyaient les éclats éblouissants d'un soleil permanent.

Je n'étais donc pas un enfant facile ; désobéissant et rêveur, je renâclais à la tâche. Indiscipliné et turbulent, je mettais toujours trop de temps à comprendre. Le temps de l'école arriva, J'ai traversé ces années de maternelle comme un extra-terrestre. Chaque jour, je me demandais pourquoi il fallait que je quitte la maison pour faire des gribouillis, faire la sieste dans un lit étranger, demander la permission pour aller aux toilettes ou alors se laisser aller à faire dans sa culotte. Dans le cadre scolaire, on remarqua très vite ma nature associable. Les autres enfants me regardaient à peine tellement je devais avoir sur ma figure un air sauvage et renfrogné. Le temps des récréations, je le passais le dos appuyé contre un mur de l'école. Refusant de participer aux activités de la communauté d'enfants, je finis par me faire oublier, j'étais devenu invisible. Ces deux premières années de scolarité plantèrent les racines du jeune être qui s'est constitué par la suite. Le monde m'était incompréhensible, les personnes, jeunes ou adultes parlaient une langue que j'avais beaucoup de difficulté à déchiffrer. Je précise que la langue française est toutefois ma langue maternelle. C'est comme si le système émetteur/récepteur dysfonctionnait. J'entendais bien chaque mot de la façon correcte lorsqu'ils étaient isolés. Dés qu'on les rassemblait, qu'on les mettait dans l'ordre exigé par la discipline de la phrase, un brouillard s'installait. J'en perdais des morceaux et parfois le tout. Une grande faculté d'égarement occupait mon esprit. Raison pour laquelle tout le monde s'accordait à me qualifier de « rêveur ». Lorsque la famille sortait faire ses courses dans les grands magasins, le grand frère avait la consigne de ne pas me lâcher la main. Jusqu'à l'âge de neuf ans, combien de fois m'a-t-on perdu ? Dans les zoos visités, dans les rues de la ville, alors que je marchais en compagnie de toute la famille. Dans les grandes surfaces où ma boussole interne n'écoutait plus que les influences magnétiques des rayons de confiserie. Du parasol planté dans le sable de la plage de Berk, à trente mètres de l'océan, j'ai su marcher jusqu'à l'eau, mais n'ai jamais retrouvé le chemin du retour. Il y avait bien trop de monde, trop de parasols semblables, trop de corps nus et maillotés. C'était pour mon esprit évaporé un labyrinthe inextricable. J'ai donc suivi la ligne sablonneuse que le soleil et la mer se disputaient, me disant que j'allais bien finir par tomber sur un de mes frères. J'étais désespéré et je ne pouvais savoir qu'en suivant cette trace c'est vers moi que je marchais. Symboliquement, j'ai l'impression que cette ligne entre terre et mer, entre connu et inconnu, entre intimes et étrangers est très présente à ce jour.

Adolescent, je recherchais la compagnie des crêtes montagneuses. Les sommets exerçaient une attirance magnétique sur mon âme. Dans leur solitude je trouvais la protection essentielle. Passer des journées entières à errer dans ces collines, le long des torrents, sur les Causses, joua pour le jeune homme que j'étais le rôle d'un second placenta. J'aimais lire dans ces lieux sauvages et construire ma personnalité brique après brique de mes réflexions. J'y ai développé également des instincts. Ces moyens de communiquer que l'on accorde volontiers aux animaux en compensation d'une intelligence qui leur ferait défaut. La part interventionniste de ces instincts en moi, rendait plus trouble encore la ligne qui sépare les espèces humaines et animales. La nature était mon royaume et dans mon imagination, je régnais comme Tarzan sur sa jungle. Je savais pister, reconnaître l'animal à la trace, me cacher lorsque je percevais les signes d'une intrusion étrangère. Ces marques, ces repères, que je ne voyais pas dans les jardins des hommes et dans leur société, cette absence de signe et de reconnaissance, ce sentiment d'être un étranger dans sa propre maison, c'est la nature et tout ce qu'elle contient de vivant qui m'aida à le porter. Mes parents étaient de bons sujets, de dignes représentants de cette humanité sociale. J'entendais dans leurs discours toute l'incohérence du système qu'ils voulaient me faire adopter, leurs arguments me rappelaient ceux des bonimenteurs de foire. Comme je ne pouvais aimer leur vision de la vie et du monde, je devins un rebelle à leurs yeux. Dès ma dixième année, mon sentiment que les adultes étaient des menteurs se cristallisa. Ils se battaient pour que leurs enfants ne cherchent pas d'autres traces que les leurs. Ils projetaient leurs idéaux bancals, leurs projets sociaux, leurs croyances, sur leurs enfants. Leur affection et leurs bras enserrés, autant de barreaux qui se refermaient sur moi. Dès que je le pouvais je m'évadai, il y avait toujours un lieu sauvage pour m'accueillir. La nature combla le fossé, la part manquante, celle que je ne voulais recevoir de mes parents, c'est elle qui me l'offrit. C'est dans un de ces lieux de prédilection que je rencontrai l'homme qui marqua ma vie d'une façon décisive.

« Oui, j'aime bien la solitude, lui répondis-je, et j'adore cet endroit perdu ! ».

— Les endroits perdus sont bons pour trouver son chemin, n'est-ce pas ?

Il s'assit sur une pierre, presque en face de moi et me proposa sa gourde. Je la refusai en le remerciant car je préférais endurer la soif plutôt que de boire à un goulot étranger. Il me rendit ma politesse avec un sourire qui remontait jusqu'aux oreilles. Ce sourire, c'était évident, ressemblait à une moquerie mais je n'en laissai rien paraître. Nous restâmes de longues minutes à nous regarder dans les yeux sans prononcer un mot. Moi, parce que je nourrissais une suspicion à son égard : que pouvait bien vouloir cet homme mûr à un adolescent qui semblait un peu perdu dans sa tête en un lieu tout aussi perdu ? Et lui visiblement, profitait de ce dialogue muet pour m'explorer plus profondément. Il me fit penser dans cet instant à un médecin détaillant le patient qui entre dans son cabinet. Ses yeux ne cessaient de sauter d'un point à l'autre de mon visage, d'une partie à l'autre de mon corps. Je me souviens d'avoir comparé son regard à celui de ces hommes qui se battent contre le courant des rivières, un tamis entre les mains fixant le fond caillouteux espérant voir surgir de l'eau la pépite d'or tant convoitée. Comme on chasse le papillon exceptionnel, celui qui d'un coup d'aile reposera dans un ordre nouveau toute une vie éparpillée dans les traverses des cités, de ces cités qui nous dérobent nos intimités pour les fondre en une seule, celle du citoyen.

Le papillon, il le saisit enfin. Je le compris tout de suite lorsque je vis ses yeux rivés sur un petit morceau du livre qui dépassait de la poche de mon gilet. Suffisamment pour qu'on puisse en lire l'intitulé. En ce temps-là, je trempais jusqu'au cou dans les évangiles. Une femme rencontrée quelques mois plus tôt alors que je m'étais enfui de la maison, m'avait accroché sur le trottoir. Sortant de je ne sais où, elle avait posé sa main sur mon épaule pendant que je contemplais un magnifique écureuil qui se croyait à Luna-park et faisait tourner à toute vitesse la grande roue de sa cage. Je me sentis si proche de lui. J'étais bien comme cet écureuil, aussi prisonnier que lui et j'eus envie de l'ouvrir cette porte, le libérer m'aurait donné l'illusion de me libérer moi-même.

C'était un jour magique. J'étais cloué dans ma chambre par une tempête d'une grande violence. Interdiction de sortir le vélo de collection de mon père sous la pluie. Une autre tempête avait éclaté dans la « maison », avec ma mère, à cause de devoirs scolaires non effectués. Je tournais en rond comme un félin dans sa cage implorant une météo plus clémente. Le ciel parut sensible à mon désespoir enfantin, car trente secondes seulement s'écoulèrent lorsque je vis un cercle bleu s'ouvrir à l'aplomb de la fenêtre. Le soleil s'invitait dans mon antre, l'ouverture dans les nuages ne semblait se créer que pour moi. Les rais se faufilèrent jusqu'à mon pardessus qui pendait à la porte. Je bondis sur mes jambes : « Incroyable ! Il doit y avoir quelqu'un là-haut qui me voit ! ». Sans perdre une seconde j'ai enjambé le balconnet et sauté sur l'herbe un étage plus bas. Mon « cheval de fer » m'attendait sagement à la cave, un vélo unique, fait à la main, avec des vitesses automatiques. Je l'enfourchai et m'envolai dans les rues du quartier. J'allai sans but précis, l'essentiel étant de dépenser cette énergie qui menaçait d'exploser. C'est devant cette cage que je m'arrêtai, elle était là, sur la terrasse d'un café.

« Toi tu es malheureux ! ». Me dit-elle, lorsque je me retournai en suivant du regard sa main qui me touchait, jusqu'à son épaule puis sa bouche et enfin ses yeux.

— Tu te drogues ! N'est-ce pas ?

— Non, non vous vous trompez madame ! Je ne me drogue pas ! M'écriai-je surpris et gêné à cause des oreilles tout autour.

La gitane se trompait, j'ignorais tout des stupéfiants, mais elle avait vu clair sur ma tristesse et mon désarroi.

« Tiens ! ». Me dit-elle en me tendant un livre bleu sorti d'un des pans de sa longue jupe sans doute…

« Tu viens donc lire les évangiles dans ces montagnes pelées ? », lança t-il vers moi avec un petit air de provocation là où les lèvres rappellent deux pétales de rose brillants de rosée. Et y trouves-tu ce que tu cherches ?

Je ne répondis pas tout de suite, ce qu'il venait de dire me ramena à ma gitane. Elle avait ajouté en m'offrant son livre : « tu verras ! Tu y trouveras l'aide dont tu as besoin, lis-le je t'en prie ! ».

Etonné de cette générosité j'avais répété trois fois au moins « merci madame ». Cette femme m'inquiétait par sa démarche inhabituelle. Je n'ai pas attendu davantage pour reprendre la direction de l'appartement que « la famille » occupait cité du Grand Verger.

S'il y avait un sujet qui m'intéressait, c'était bien celui-là. Il me tendait la perche le « bougre ». Depuis des mois je potassais quotidiennement ce bouquin. J'étais sûr d'en connaître la matière. Je me sentais porté par le costume d'un théologien.

— Bah, je l'emmène partout avec moi, je crois bien que oui, j'y trouve des réponses par tonne, vous connaissez je suppose ?

Il fit comme s'il n'avait pas entendu ma question et enchaîna sur ces mots.

« Ah bon ! Il y a tant de questions que cela dans ta tête ? Comme par exemple ? ».

Je décidai de l'imiter en ignorant la seconde partie de sa question.

— Je pose le livre sur une pierre, le vent tourne les pages à son gré. Lorsqu'une page reste ouverte quelques secondes je la lis. Je trouve toujours la réponse à une de mes questions en cet instant. Est-ce qu'à votre âge on ne se pose plus de question Monsieur ?

Mes mots méritaient sans doute le large sourire dont il me gratifia, bien que je ne visse pas ce qu'il y avait de drôle dans mes propos.

— A mon âge, je l'espère, on ne cherche plus les réponses dans un livre. Mais sans doute as-tu raison, on ne se pose plus beaucoup de question. On reçoit la vie d'instant en instant, conscient qu'on ne dispose que de ce temps-là.

— Je connais des tas de personnes de votre âge qui ne savent pas faire ce que vous dites, alors, ils feraient mieux de se poser les bonnes questions. Ils sont souvent prétentieux et arrogants, croient avoir tout compris de ce monde et de la vie.

J'étais assez fier de cette répartie et me réjouissais par avance de voir comment il allait se tirer de cette estocade.

Deux rapaces tournoyaient au-dessus de nos têtes. L'épaisse chaleur que les rochers restituaient au soleil et à l'atmosphère rythmait leurs rares mouvements d'ailes. Ils surfaient leur danse sur des vagues d'air chaud et de lumière. Ma passion pour les oiseaux, surtout les rapaces, m'avait entraîné ailleurs, plus haut dans le ciel. Je suivais maintenant le fil d'une conversation céleste prononcée du bout des plumes. Lui, gardait le silence et son regard bondissait comme un yoyo des buses à mes yeux. En haut, il ne semblait pas y avoir de vent. Le mistral se réservait pour les marcheurs sur deux pieds et plus. Les rapaces ne voulaient pas danser plus loin, ils stationnèrent au-dessus de nos têtes comme pour assister à la scène qui nous concernait. Plus de dix minutes s'écoulèrent ainsi lorsque le son de sa voix me fit atterrir.

« Peut-être qu'eux aussi se posent des questions… Peut-être bien sur nous deux… ». Ces suggestions étaient encore cuisinées à la sauce sourire provençale aux olives noires comme ses yeux. Puis il continua. « …Et quel genre de question un vieux comme moi devrait se poser selon le jeune homme que tu es ? ».

Je pris mon souffle comme pour sauter avant de lui répondre. Son intérêt pour mes préoccupations intellectuelles me parut sincère, la conversation avec cet homme s'annonçait légère et agréable. Cela me grisait de pouvoir nourrir ma réflexion sur tout ce qui touchait de près ou de loin aux affaires mystiques ou religieuses.

— Est-ce que quelqu'un a fait tout cela, ou est-ce que « ça » s'est fait tout seul ? Lui dis-je en traçant une ligne tout autour de moi sur trois cents soixante degrés les bras tendus comme un épouvantail.

Il pivota sur ses pieds en imitant mon geste l'air amusé et cria par deux reprises en riant. « Tout ça ??… Supposons qu'on puisse répondre par oui ou par non, qu'est-ce que ça change au fond ? Hein ? Qu'est-ce que ça change ? ».

Je sortis le petit livre de ma poche en le pointant vers son visage.

— Pour moi ça change beaucoup de choses, cela rend les souffrances plus supportables !

— Cela les rend-t-elles plus supportables de penser qu'elles sont permises par la volonté d'un Dieu ? Personnellement je les trouverais plus injustes ! Je crois que c'est satisfaire un besoin de consolation et non une affaire de simple bon sens. Tu ne cherches pas réellement une réponse en posant cette question, juste une consolation pour tes peines à vivre ou celles d'autrui ! ».

Sa remarque me plongea dans une méditation introspective, je voulais voir au fond de moi, vérifier la justesse de ces mots. Il avait en partie raison. Croire que toutes les choses difficiles qui nous arrivent plongent leurs racines dans une « intention » supérieure apporte un réconfort certain. Nous avons tous besoin de nous sentir bien-aimés. Surtout lorsque ceux qui nous sont proches ne nous offrent pas cet amour. Ou ceux qui ne sont plus là pour le faire. Une buse plongea soudain vers une proie à une vingtaine de pas de l'endroit où nous nous trouvions. Je songeais au petit animal qui venait de rencontrer son dernier instant de vie. Aucune de mes pensées ne semblait échapper à l'attention de cet homme dont j'ignorais encore le nom. Il voyait clair en mon esprit lorsqu'il dit : « Et oui ! C'est cela la vie ! Les êtres vivants qui se dévorent, les gros mangent les petits qui mangent des graines. Les plantes nous nourrissent, et de plus gros encore finissent par dévorer les moyens ! L'équilibre d'un monde basé sur la violence, s'il y a un Dieu, c'est ainsi qu'il a voulu son monde n'est-ce pas ? Aurais-tu trouvé la clef de cette énigme ? ».

— C'est drôle… Nous sommes là, sur le toit de ce département à philosopher sans même avoir échangé nos noms. Je m'appelle Hervé. Dis-je en attendant qu'il se présente à son tour.

« Et moi Manter, fit-il enlevant son chapeau accompagnant son salut d'un sourire amical. Que fais-tu dans la vie jeune ami ? ».

— Je travaille comme apprenti ébéniste et vous M'sieur ?

— Jardinier, tout simplement jardinier ! Je sème ici et là des graines et je les arrose.

Quelques plantes sauvages dépassaient de son petit sac, j'ai pensé qu'il rôdait dans les parages en quête de graines nouvelles. Jardinier, son allure correspondait bien à cette activité. Un parfum de terre remuée, d'humus et de racines émanait de sa chemise, de ses chaussures et de son chapeau. Il manquait juste une pipe qui aurait pu dépasser de sa poche supérieure et une fleur à la boutonnière.

— Vous faites des cueillettes dans le coin, d'après ce que je vois.

— Ah oui ça m'arrive aussi, mes promenades m'apportent parfois de beaux spécimens ! Dit-il d'un ton songeur.

Nous étions assis au pied du grand rocher. Quelques années plus tard j'entrepris de le gravir, mais ce jour là ses parois me semblaient invincibles. Un ami le gravit de nuit avec une jeune fille dont j'ai oublié le nom. Une de ces nuits encore où le vent fait crisser la montagne comme les mâts d'un navire. Ils avaient réussi cette folie, mais une chose inimaginable les attendait au sommet. C'était un excellent grimpeur, mais pour concevoir une escalade en duo et sans matériel et qui plus est de nuit, avec une fille qui n'avait jamais pratiqué la varappe, il fallait être porté par une témérité irrationnelle. Je ne sais pas ce qui se passa dans sa tête ce soir là, une envie de sentir le vent pénétrer au plus profond de ses os, de son âme peut-être. Il se plaça au bord du rocher face au sud, le dos offert au mistral, comme par défi. Les bras tendus comme un crucifié. Une forte bourrasque surgit de la nuit noire, l'attrapa dans ses griffes et le jeta dans le vide, sous les yeux impuissants de sa compagne. Mais le Mistral ne le tua pas. Par chance ou par autre chose, il y avait une espèce de terrasse quelques mètres plus bas. C'est là qu'il fut déposé par le vent, un vrai miracle. Lui, avait semblé trouver cela normal. Il avait déjà fait l'amour avec la foudre et avait survécu, alors, ce n'est pas un vol de quelques mètres qui allait l'impressionner.

Le soleil du début de mai aspire le vert des végétaux, sa lumière est éblouissante. Mes yeux bridés par la goutte de sang indien qui coule dans mes veines ont toujours été sensibles à la lumière. Elle scintille sur les cristaux de roches, se reflète sur la rosée, m'obligeant à marcher en aveugle quand il n'y a pas d'autre choix, rares sont les chemins bordés d'arbres offrant la fraîcheur de leur ramure. Un sentier descendait vers un petit étang. Un oasis offert par la nature dans ce milieu si sec. Je proposai à Manter de cheminer dans cette direction pour rechercher un peu d'ombre. Il avait retiré son chapeau pour se gratter la tête, une tête argentée de cheveux coupés à la brosse. Ses mains étaient fines et laissaient deviner un corps hâlé par le soleil. Tout en marchant, je lui contais un petit bout de ma vie.

— Depuis mon plus jeune âge je m'intéresse aux animaux. J'ai fait de ma chambre un vrai petit zoo, au grand désespoir de ma mère. Son accès lui est interdit par les oiseaux qui y volent en liberté conditionnelle. La meilleure note que j'ai obtenue en classe de CM2, c'était sur un devoir qui concernait la métamorphose des têtards. Hériter de la meilleure note de la classe, je crains que cela ne soit arrivé qu'une seule fois durant ma scolarité. Je me suis occupé de nombreux oiseaux tombés du nid. Des pies, des corbeaux, des chouettes, je connais les serpents et les hérissons, les rongeurs, surtout les écureuils que je nourris au biberon. A seize ans, j'ai été enrôlé au zoo de Marseille, j'y ai côtoyé des dompteurs de fauves, ma tâche était de les nourrir et d'assister le dresseur pendant les spectacles. J'ai dû cesser subitement ce travail parce que le directeur craignait que ma sympathie naïve pour ces grands animaux ne me pousse à leur servir un jour de repas. Je les caressais comme si c'étaient des chats et souvent j'oubliais leur présence pendant que je nettoyais leurs déchets organiques. Pour toutes ces raisons, je sais que vous avez dit la simple vérité, la vie est cruelle et belle en même temps.

— Je n'ai pas dit qu'elle était cruelle, j'ai dit qu'elle était basée sur la violence.

— Pourtant, lui dis-je, Jésus nous indique un chemin de non-violence n'est-ce pas ? Tendre l'autre joue et cætera ?

— Et pourtant comme tu dis, son accès de colère contre les marchands du temple et certains mots de ses discours comme « malheur à vous scribes et pharisiens !! » ne sont pas très pacifiques. Et cette façon d'aller à la mort n'est-elle pas une violence orientée contre lui-même ? Cet homme visiblement a quelques difficultés à appliquer ce qu'il te demande, non ?

Je n'étais pas très heureux de cette réponse, elle me contrariait, cet homme avait-il donc réponse à tout ?

— Sa mort est un sacrifice ! Comment se sacrifier sans violence ?

Il me regarda intensément comme pour me laisser le temps de savourer mes propres mots.

— Si ton intention est d'entrer en guerre contre la violence qui t'habite tu ne feras que l'accroître, ouvre lui la porte et laisse la sortir.

— Que voulez-vous dire par « laisse la sortir » ? Faut-il exprimer la violence qui gronde en nous sans tentative de retenue ?

— Non, ce n'est pas ce que je dis, la violence comme les autres réactions a une cause qui réside en nous, n'est-ce pas ?

— Oui, sans doute de nombreuses causes, je vous suis jusque-là.

— Non pas si nombreuses, toujours la même. La peur. Sais-tu bien ce que c'est que la peur ?

Oh je savais bien ce qu'était la peur. Je vivais avec elle chaque jour. Mon père me terrifiait comme il terrifiait tout le monde. Je n'avais pas peur pour moi-même, mais surtout pour ma mère et mon grand frère. Je dis mon grand frère parce qu'il est apparu cinq ans avant moi. Mais dans les faits j'appris à le protéger, il était de plus faible nature, anorexique à sept ans. Un enfant souvent, ça refuse de se nourrir lorsque l'affection ne lui est pas donnée en hors-d'œuvre. Une nuit les gendarmes l'ont intercepté à la gare de Chelles en Seine et Marne. Et oui ! Il voulait prendre le train, pas comme tout le monde, je veux dire, pas avec un billet. Lui il voulait le prendre en travers de son corps. Pour cela il s'était allongé sur la voie. Ce fut sa première tentative de suicide et mon père lui administra une raclée magistrale, histoire de lui faire passer l'envie. C'était un fin psychologue ce père. Il passait ses nerfs sur sa femme et ses enfants avec une violence sournoise. Sans même l'excuse d'être alcoolique.

Et puis il y avait eu encore la violence des cités, la violence des collèges. Avec le rituel des bagarres à la sortie. Pour endiguer la peur j'avais fini par m'inscrire à des cours d'arts martiaux. Longtemps je me suis persuadé que pour affronter la violence, il fallait que je l'étudie, que je l'apprivoise, que je la sculpte dans mon esprit comme je voulais sculpter mon corps. Oui c'est sûr ! Celui qui est fort ne craint plus ! Il me faut devenir fort ! Voilà ce que je me répétais dans le silence de ma forteresse.

Je levais les yeux vers lui en sortant de mes rêveries. Il souriait comme s'il avait pu suivre le fil de l'histoire que je visionnais sur l'écran tissé de mes tumultueux souvenirs.

— Ceux qui sont les plus riches, me dit-il, ne possèdent rien. Ils sont riches de n'avoir rien à perdre. Les puissants ont beaucoup à perdre, ça leur fait faire des cauchemars. Celui qui n'a rien à perdre ignore la crainte.

Ma bouche s'ouvrit comme un œuf. Il venait de stopper l'élan que j'avais pris pour lui développer ma théorie sur « comment cultiver sa force et ne plus avoir peur ».

— N'avoir plus rien à perdre, C'est quoi ça ? Une forme de dépression chronique ? Lui répliquai-je d'un ton ironique. Vous y arrivez, vous, à concilier volonté de vivre et « n'avoir plus rien à perdre » ?

Il s'esclaffa en lâchant un geyser d'eau de sa bouche qu'il avait collée au goulot de sa gourde, un mini arc-en-ciel le saisit au vol et s'y allongea l'instant éphémère qu'il fallut au million d'infimes gouttelettes pour toucher le sol.

— Tu as vu ? dit-il. Cet arc fut pour nous deux, seulement nous deux ! As-tu senti le regret qui a pointé en toi à cause de la brièveté de sa présence ? Un arc-en-ciel c'est attachant n'est-ce pas ? Oh bien-sûr on l'oublie vite ! Mais on nourrit l'envie qu'il dure un peu, juste le temps de lui faire de la place dans notre cœur. C'est étonnant comme on peut s'attendrir devant un simple phénomène, devant le mariage du soleil et de l'eau. As-tu observé chez les animaux de telles réactions ?

— Vous voulez dire une émotion devant la beauté des choses ?

— Oui.

— Je ne sais… J'ai vu leur curiosité devant des choses inconnues. Mais je ne peux dire s'ils sont touchés ou émerveillés.

— Nous les humains, nous nous émerveillons souvent, mais nous ne gardons pas de souvenirs intenses de ce qui nous a touché, nous sommes plus attachés à nos ressentiments qu'aux phénomènes auxquels ils se rattachent. Nos émotions sont précieuses, nous avons peur de les perdre. Les couchers de soleil, nous savons qu'ils seront toujours là. Nous ne craignons pas pour eux. Les fleurs, nous les cueillons et nous les plongeons dans l'eau pour leur donner un sursis, et puis nous ornons nos tables ou nos buffets. C'est un moyen de prolonger l'impression qu'elles nous procurent. C'est aussi une façon de se les accaparer, privant ceux qui viennent à passer après nous du spectacle qui s'offrait à eux.

L'atmosphère était étrange et agréable en même temps. C'était la première fois que je vivais un échange profond avec un adulte. J'étais très fâché contre eux et ne leur donnais pas ma confiance. J'aimais la tessiture de sa voix et la douce clarté de son regard. Ses gestes étaient posés et délicats, son corps était trapu et de moyenne taille. Il émanait de lui une parfaite maîtrise de ses mouvements.

Malgré mon jeune âge, j'avais entraîné mon esprit dans des lectures variées et parfois ardues. Je connaissais les classiques de la philosophie. Nietzsche et Kant, Schopenhauer, Montaigne, Rousseau. Les poètes comme Baudelaire et Apollinaire m'accompagnaient depuis que j'avais atteint quatorze ans. Je devinais sans difficulté le chemin que Manter me pointait.

Le détachement, je m'étais trouvé face à lui une seule fois. J'avais dix ans. La première fois que je le rencontrai, ce fut dans les yeux de mon grand frère. Ce fameux soir où il voulut « prendre le train ». Mon père et mon oncle, ancien soldat de la guerre d'Indochine, rentrèrent vers minuit du commissariat de police, nous ne dormions pas mon frère cadet et moi-même. A peine avaient-ils passé le seuil que mon paternel s'empara de sa baguette magique comme il disait. C'était une grande règle de soixante-dix centimètres en plexiglas. Il demanda à Edgard de baisser son pantalon, ce qu'il fit en jetant un regard vers nous, ses frères. Nous étions cachés en haut de l'escalier qui montait aux chambres. La force et le nombre des coups étaient tels que mon oncle, ma mère et une cousine essayèrent de s'interposer. Mais la fureur du père était grande et ils ont dû partager les coups qui pleuvaient. Ce soir là, raclée générale au menu. Pas une larme, pas une dans les yeux du frère aîné. Les nôtres inondaient les marches, nous pleurions pour lui. Il releva sa tête pendant que la règle continuait son tempo régulier. La « brute » l'ignorait mais elle était en train de composer une curieuse symphonie dans le cœur des trois frères. Il leva son regard vers nous, lui seul nous avait découvert, et il nous sourit en murmurant de ses lèvres muettes : « n'ayez pas peur, je n'ai pas mal, je n'ai pas peur moi ! ». Il nous sourit, et ce sourire fut un moment déterminant de nos vies. Un sentiment d'une grande liberté qui s'offrait à nous, à moi…

— Dites Manter, c'est du détachement dont vous me parlez en fait. N'est-ce pas ? Vous êtes en train de me dire qu'il y a un lien entre le détachement et la peur ou ce qu'elle génère de violence, c'est bien ça ?

Il sourit laissant voir des dents régulières, rien de carnivore dans ces dents, non, plutôt des dents de ruminant. Il me tendit l'extrémité de son bâton et me demanda de la saisir.

— Serre-le fort dans ta main et tire vers toi ! Résiste !

Il tirait pour me l'arracher pendant que je tirais de mon côté, cet exercice nous agita quelque peu et le bois lisse glissait de mon étreinte centimètre par centimètre. Je faillis tomber à la renverse lorsqu'il m'échappa d'un coup.

— Tu as senti la violence en dedans et au-dehors de nous pendant que nous luttions ? Me dit-il pendant que je récupérais mon souffle.

Je hochais la tête en guise d'accord, il continua.

— Plus nous nous accrochons aux choses, plus nous sommes prêts à nous agiter pour les défendre. Ce petit jeu le démontre bien mieux qu'un long discours. Qu'en penses-tu ?

J'étais d'accord, mais un détail me chiffonnait. Et je n'attendis pas pour le questionner.

— La violence qui est apparue, qui a envahi mes membres et mon esprit, je l'ai nettement sentie, mais pourquoi parlez-vous de violence au dehors ?

— Lorsqu'une émotion éclôt en toi, lorsque tu la laisses s'exprimer librement, tu peux observer qu'elle touche le monde environnant, elle éclabousse tout ce qui est autour. Nous ne sommes pas isolés et le monde ne reste pas passif devant les mouvements intérieurs qui secouent les êtres vivants. Lorsque tu sèmes des graines de légumes ou seulement de l'herbe, le résultat ne dépend pas que de la terre ou de l'eau, enfin de toutes les conditions matérielles que tu installes. Il dépend aussi de l'humeur ou de l'état de conscience du jardinier, de la qualité de son lien au monde.

Je ne voyais pas de quoi il voulait parler, son discours devenait plus hermétique, plus mystique.

— Mais de quelles manifestations parlez-vous en ce qui concerne le petit jeu auquel je me suis prêté ?

— Regarde ! Il pointait du doigt le sol. Toutes les pierres que tu as déplacées, la poussière que tu as soulevée. Ce serpent qui a fui sous l'effet de tes gestes brusques et incontrôlés. Les oiseaux au loin qui ont tourné leur tête vers toi. Et plein de choses que nous ne connaîtrons jamais. Chaque geste que nous produisons se répercute sur tout notre environnement à l'infini. Et certainement que chacun de ces gestes est lui-même une répercussion. Un niveau d'attention plus aigu permet de se placer plus justement dans cette chaîne d'évènements. Une qualité d'action qui se base sur une volonté d'économie, sur un meilleur respect de la vie.

Je n'avais rien à répondre à ces derniers mots, le silence en profita pour s'installer. Les paroles sont comme des feuilles mortes fouettées par le vent. Elles se soulèvent et font la ronde en tourbillonnant. Le vent lui, est comme l'agitation de nos pensées, on ne sait d'où elles viennent ni où elles veulent aller. Lorsque le vent se calme, les feuilles retombent sur le sol, sans jamais retrouver leur place précédente. Au prochain mouvement du souffle elles iront plus loin et s'éparpilleront dans un espace nouveau. Nous nous prenons souvent dans les pièges des mots, toujours sûrs qu'ils savent tisser le pont entre les hommes. Mais aussi souvent on se trouve déçu de voir que le pont était en papier, qu'il a croulé dès les premiers pas. Le silence lui, déçoit rarement ceux qui lui font la place. Le silence de ce moment ne me déçut pas. Il nous enveloppa comme une couverture. La nature tout autour semblait plus vivante, les plantes et les arbres plus verts, et le mistral passait pardessous la couverture sans nous déranger. Je savais que je ne comprenais pas intellectuellement la totalité de ce que j'avais entendu, mais je ressentais dans mon corps la trace d'une expérience essentielle. Je compris également qu'il y avait des trésors à découvrir au sein de cette relation. Le soleil déclinait doucement, je n'avais pas envie que cette rencontre touche à sa fin en même temps que le jour.

— Vous habitez dans le coin ? Lui demandai-je à brûle pourpoint en retirant la douce couverture. Pourrait-on se revoir un de ces jours ? Il y a des tas de sujets que j'aimerais aborder avec vous…

— Je viens souvent par ici mon garçon, surtout le samedi après-midi. On se recroisera certainement.

Il me tendit sa main droite, je sentis sa force et sa douceur mêlées lorsque nos peaux se touchèrent pour la première fois. Cette poignée de mains reste un souvenir frais et vivant. Trente-sept ans après, aucune poussière ne s'est déposée sur ces images lointaines. Nous reprîmes tous deux la direction de nos foyers. Il descendit le versant sud et je partis à l'opposé.

Chapitre 2.
La liberté

« Que dans certaines circonstances la foi béatifie, que la béatitude ne fait pas encore d'une idée fixe une idée vraie, que loin de déplacer les montagnes la foi pourrait bien en placer là où il n'y en a pas… ».

L'antéchrist – Nietzsche

J'allais au gré de mes certitudes
Autant de phares sur une mer incertaine
Lorsque les lumières se sont éteintes
La mer est restée sereine.

Un mois a passé avant que je ne revienne traîner mes pieds dans les collines entre Mimet et Simiane Collongue. De l'autre côté du pilon du Roi on peut voir la mer et les abords de Marseille. Je grimpai sur un petit rocher pour épier les environs et voir venir. La chaleur avait crû avec les jours de Juin. Cette fois-ci j'avais pensé à emmener avec moi une gourde d'eau teintée de réglisse. Ce fut un mois riche en lectures et réflexions, je tenais bien entendu à me montrer à la hauteur lors des prochaines discussions avec Manter. Qu'il me considère comme un interlocuteur digne de lui. Je ne savais pas encore qu'il était incapable de mépris. Je mangeai mon casse-croûte en rêvassant, puis je m'allongeai sur la pierre chaude. Le mistral était pénible, il me donnait des maux de tête. Un couple de corbeaux passait au-dessus de moi en croassant lorsqu'une silhouette sombre apparut au loin sur un sentier qui descendait vers le sud ouest. J'étais sûr qu'il s'agissait de Manter, son chapeau peu ordinaire me le confirmait. J'avais soigneusement préparé le sujet dont je voulais l'entretenir. Quel sens avait pour lui « l'amour chrétien » ?

Il marchait doucement, regardant de part et d'autre du chemin ce qui devait être des plantes ou des petits animaux. Lorsqu'il leva ses yeux dans ma direction, deux cents mètres à peine nous séparaient. Je lui fis un signe de la main auquel il répondit en faisant basculer son chapeau. Puis je redescendis de mon perchoir pour marcher au devant de lui. Un peu plus loin il y avait des chênes verts, j'ai toujours aimé ces arbres solides et noueux qui ne se découvrent jamais. Ils m'inspiraient une sensation de force et de défi. Quand j'arrivai à quelques pas de lui, je lançai un « bonjour » joyeux. Il répondit. « Comment va le jeune ami en ce jour lumineux et venteux ? ».

— Je vais bien, je suis bien content de vous trouver par ici.

— Ah ! Encore des questions qui trottent dans ta tête je suppose…

Tout en souriant, je m'efforçai de lui expliquer qu'à mon âge c'était bien normal d'essayer de trouver son chemin. Que maintenant que je tenais un interlocuteur digne de ce nom, je n'allais pas laisser passer cette chance. Qu'il m'avait donné l'impression, par ses derniers propos sur la non-violence évangélique, qu'il posait un regard plus circonspect que le mien sur ces écrits, sur cette doctrine. J'avais un grand besoin d'échanger des idées et d'entendre son raisonnement sur des sujets comme la religion, la morale, le crédit que l'on peut accorder à des écritures dont certaines sont âgées de plusieurs millénaires.

— J'ai l'impression que je marche à quatre pattes en tâtant le sol devant moi ! Pensez-vous qu'on puisse dire que l'essentiel du message Christique touche à l'amour avec un grand « A » ?

Il laissa échapper de grands éclats de rire qui allèrent se percher comme des oiseaux sur les branches des chênes. Ce n'était pas ma question qui le faisait rire mais plutôt mon empressement.

— Et si on trouvait un endroit à l'ombre et à l'abri du vent ? L'amour, même avec un énorme « A » attend depuis tellement de siècles, il peut bien attendre quelques minutes de plus, non ? Surtout que je tiens une soif avec un grand « S ».

— Oui ! Dis-je en riant avec lui, c'est une bonne idée.

Et nous marchâmes ensemble en causant de banalités de la vie. Il me raconta sa dernière semaine passée dans les jardins de Plan de Cuques. Moi, je lui parlai de ma passion des arts martiaux et du tir à l'arc. Il me dit : « C'est excellent ça le tir à l'arc ! Que trouves-tu toi dans cette pratique ? »

— Oh je tire à l'arc depuis l'âge de dix ans, comme tous les enfants je les fabriquais avec des branches d'arbres. On jouait aux indiens avec mes frères. Je suppose que ça a quelque chose à voir avec une sorte de nostalgie de la vie sauvage… C'est du tir instinctif d'ailleurs ! Je crois que c'est cela qui me plait le plus.

— Laisser faire le corps, c'est ce que tu veux dire… Tu as vu que l'esprit est là pour la volonté et le but. C'est très difficile, n'est-ce pas pour l'esprit de s'abandonner à la connaissance du corps ?

— Je ne sais pas si c'est bien ce que je cherche à faire… Je me contente de renoncer à viser, mais je sens que la tension vers le but est encore présente.

J'étais embarrassé, il avait poussé le « cochonnet » un peu plus loin que je ne le désirais en cet instant, c'était le moment de faire une petite pirouette.

— Et si nous revenions au sujet dont je vous ai parlé ?

— Ahhh l'amouuuurrrr ! Voilà une chose qui nous préoccupe tous n'est-ce pas ?

— Pour moi, c'est une question importante en tout cas, peut-on dire que l'essentiel du message de cet homme nommé Jésus est basé sur l'amour entre les hommes ?

J'ai toujours eu horreur des conflits entre les individus. Sans doute parce que je vivais au milieu des bagarres familiales depuis mon plus jeune âge. J'observais les autres élèves se quereller et parfois en venir aux mains pour des broutilles, tout ce que je trouvais à faire, c'était rédiger des textes sur des feuilles volantes et les glisser dans leur cartable. Sur ces papiers, j'écrivais des poèmes innocents censés leur faire prendre conscience de la stupidité de leurs réactions. Je nourrissais ce rêve fou de pacifier le monde autour de moi. La paix, je courrais derrière elle comme après un ballon gonflé à l'hélium. Chaque fois qu'elle semblait à ma portée, elle s'envolait un peu plus loin sans doute poussée du bout de mon pied.

— Tu songes à ces mots : « Aime ton prochain comme toi-même » sans doute ? Le problème c'est que les hommes ne savent pas s'aimer eux-mêmes, comment pourraient-ils alors aimer quelqu'un d'autre ? Le Christ enseigne t-il aux hommes comment s'aimer eux-mêmes ? Faut dire qu'on ne le voit pas sourire beaucoup dans les évangiles. Tu voudrais que l'on parle de l'amour entre les hommes, je ne sais que te parler de l'amour que j'ai pour moi-même. Et toi comment t'aimes-tu ? Ajouta-t-il avec un brin d'ironie dans la voix.

J'eus un raclement de gorge, mon corps sans doute manifestait son besoin d'une pause stratégique devant cette question envoyée comme un ace. Je tournai la tête de droite à gauche mais je ne parvins pas à trouver la bonne raquette pour lui retourner sa balle prestement.

— Et bien ! Finis-je par trouver, je crois que la meilleure façon de m'aimer est de chercher ce qui m'empêche d'être en paix. Il disait « je vous donne ma paix ! ». N'est-ce pas cela finalement l'amour ?

— Tu ne t'en sors pas si mal !

Ses yeux brillaient de malice. Un sourire large et généreux resplendissait comme une fontaine de jets d'eau au milieu d'un jardin de roses blanches comme ses dents. Il n'était pas question que je le laisse jouer au chat et à la souris avec moi.

— Le verbe aimer se conjugue de tellement de façons. Peut-être que le meilleur moyen de donner « sa » paix aux autres est de leur ficher la paix. Soit ! Il a dit cela ! Il a dit qu'il donnait sa paix, l'as-tu reçue ?

Je me sentais plus paisible depuis que je pouvais « croire ». La foi me portait en avant. C'est ce que je lui répondis sans hésitation.

— Ah, tu viens de prononcer un mot intéressant, « la foi » ! Si je te suis bien, la paix n'est plus seulement une question d'amour, mais elle peut découler de la foi ! En fait, en t'accordant la possibilité de croire en une dimension divine tu t'es offert plus de sérénité. C'est donc qu'en place de cet « amour » nécessaire, il y a la décision de croire. Tu as trouvé finalement le père universel qui donne son amour sans compter ! Dit-il en éclatant de rire.

— Mais c'est quoi votre définition de l'amour ? Lui rétorquai-je avec impatience.

— Je n'en ai pas ! Je sais seulement reconnaître ce qui a la couleur et le goût de l'amour, mais qui n'en est pas ! Par exemple, là où il y a atteinte aux libertés, ce ne peut être de l'amour. Je vois au moins deux façons d'aimer. Celle qui veut s'approprier, et là c'est pour nos propres sensations que l'on se décide à aimer. Bien qu'on affirme le contraire. Si j'ai besoin de ce que j'aime, c'est que mon amour est suspect. Et il y a l'autre, celle qui libère et tient en liberté. Aimer c'est affranchir. Tu as parlé de foi tout à l'heure, il me semble que la phrase la plus importante que Jésus ait prononcée est celle-ci : « …ta foi t'a sauvé… ». Tu t'en souviens ? Que voulait-il dire ?

— Je ne sais pas… Est-ce une forme de récompense ? Non, ça ne colle pas ! Dites-moi !

— Oui ça serait pratique hein, s'il suffisait d'avoir la foi pour guérir. A moins que ce ne soit une question de qualité ou de quantité de foi. C'est une parole de liberté. « Ce n'est pas moi qui t'ai guéri, mais ce que tu as choisi de placer en ton esprit ! ». Le pouvoir serait-il donc dans nos pensées ? Celles qui nous rendent malades comme celles qui nous soignent. ? Moi, je choisis de placer la foi en moi-même, ainsi personne ne sera responsable de ma personne. Comment pourrai-je être libre si j'accepte qu'un tiers soit responsable de ma personne ? Un poète aviateur (A. De St Exupéry, Le petit Prince) a dit dans un de ces livres : « On est responsable pour toujours de ce que l'on apprivoise ». Le verbe « apprivoiser » est bien synonyme du verbe « attacher » et du verbe « dénaturer ». L'amour, il se reconnaît à cela, qu'il veut libérer ; si tu parviens à t'aimer correctement, tu es libre !

— Mais je suis déjà libre Manter ! M'écriai-je.

Le manque de liberté, j'en ai longtemps souffert. Chaque fois que je respirais, j'avais une sensation aiguë dans la poitrine, celle que connaissent ceux à qui l'on a dérobé l'enfance. Certains ont connu la guerre dans leur pays, toute une vie de croissance bousculée, comment jouer pleinement sous les bombes et entre les cadavres ? Chez nous c'était la guerre latente, sous le toit du foyer. Là où naturellement on est censé trouver la paix et la chaleur. Nous nous cachions pour jouer, comme nous cachions aussi nos jouets interdits. Combien d'arcs et de flèches cassés sur nos jambes ? Le temps ne nous appartenait pas, nous avions un maître, le paternel. Il aimait à gérer chaque minute de notre « temps libre », ici le mot libre est gonflé d'ironie. Je n'ai jamais réussi à faire une grasse matinée, ni les jeudis ni le week-end. J'ouvrais les yeux de bon matin lorsque les premières lueurs du jour se faufilaient au travers des volets. Les parents se prélassaient au lit, la grasse matinée était un devoir les jours de repos. Ces moments-là furent réellement les seuls temps libres que j'ai connus. La liberté avait le même goût que le sommeil, celui du Père bien-entendu ! Sauf que nous devions faire attention à ne pas trop faire de bruit, car réveiller notre père le samedi ou le dimanche matin, c'était une déclaration de guerre. Les jeudis, nous trouvions sur la table du petit déjeuner la liste des tâches plus ou moins absurdes, corvées personnalisées en fonction de nos âges. Je me souviens d'une de ces missions obligées qui m'a volé plusieurs jeudis. La cour autour de la maison était grande et couverte de graviers grisâtres. Dans chaque mètre carré de graviers gris, une dizaine de cailloux noirs se dissimulaient dans l'épaisseur. Ma mission, et je n'avais d'autre choix que de l'accepter, fut ce jour-là de retirer les cailloux plus foncés et de les rassembler en petits tas le long des murs de clôture. Je ne sus jamais à quelle utilité ou besoin, cette corvée qui m'échut correspondait. Sans doute, son unique raison d'être, c'était de me savoir occupé toute la journée pendant que lui travaillait à son bureau. Dix ans ont passé ainsi, mes frères et moi avons servi d'esclaves à notre père. Il achetait des ruines pour une bouchée de pain, nous y faisait bosser tous les temps « libres ». Nos vacances se brûlaient sur le frottement des briques et les démangeaisons du mortier. Nous accomplissions des journées exténuantes, parfois plus de douze heures à porter les pierres pour l'édification des murs. Il a amassé une réelle petite fortune de cette façon. Chacun de nous y a donné une dizaine d'années de son enfance. La privation de liberté, la peur, la soumission, les coups, tous les condiments de la vie des esclaves, je ne les connaissais que trop.

— La liberté, cher ami, ce n'est pas seulement pouvoir disposer de son temps selon son gré. Ni pouvoir jouir d'un espace illimité pour se déplacer.

— Oh, je sais bien de quoi vous parlez ! De la liberté de penser !

Il me fixa attentivement, comme pour voir à quel point je réalisais le sens de mes mots, puis il sourit avec tendresse.

— Dans le monde de la pensée, il n'y a pas de possibilité pour la liberté, toutes celles qui sont dans nos têtes nous sont prêtées, les pensées sont comme des jouets dans la salle d'attente d'un pédiatre. Nous oublions un moment qu'elles ne sont pas à nous. Quelque fois, nous mettons un de ces objets dans notre poche. Nous l'emmenons chez nous, puis avec le temps, nous finissons par oublier notre larcin, nous sommes sûrs qu'il nous a toujours appartenu. Le plus souvent c'est quelqu'un d'autre qui nous le glisse dans la poche à notre insu. Les objets s'entassent ainsi dans notre coffre, plus il est rempli et plus on se sent puissant, riche. Ensuite, nous manipulons ces jouets. Tantôt dans un ordre pour construire un pont, une maison, lancer une bataille, et cætera. Et tantôt nous démontons tout pour installer un nouveau décor, une autre aventure. Nous gesticulons, pendus à des fils. Avec un énorme sentiment de liberté. Parce que nous ne les voyons pas ces fils, nous ne savons pas que nous sommes des marionnettes.

Je l'avais derrière les yeux cette marionnette pendue à une croix. Je pouvais voir que chacun de ses mouvements était dirigé par les mouvements de la main qui la tenait.

— Mais Manter, la liberté pour cette marionnette serait de couper ses fils, c'est impossible ! Aucune marionnette ne se meut d'elle-même, si on la libère des fils qui la portent, elle s'écrase sur le sol et devient inerte !

Accompagnant mes paroles par le geste je ramassai une pierre ronde et la jetai contre la paroi du rocher noir. Elle vint heurter une grosse pierre, à cinq mètres de nous, sur laquelle elle rebondit avec force et alla se figer dans un trou à deux mètres du sol. Sa loge n'était pas beaucoup plus grande que la pierre qui s'y blottit tel un œuf dans son nid.

Epaté, je tournai les yeux vers mon compagnon jardinier, il était immobile, fixant ma pierre ou le trou, peut-être les deux en même temps. Pendant trente secondes je ne fis que cela, faire voyager mon regard de ma pierre aux yeux de Manter.

— Tu peux recommencer ce tir ? me demanda-t-il.

— Quoi ? Vous voulez que je réessaye de lancer la pierre dans le trou en la faisant ricocher ? C'est impossible ! Lui criai-je en m'esclaffant.

— Tu as certainement raison, il n'y a peut-être qu'une chance sur un million que tu y parviennes à nouveau. Et pourtant, sans pensée ni but, tu as réussi à faire quelque chose de tout à fait impossible. C'est de cette liberté là que je voulais parler. Qui n'est pas liberté de penser, mais liberté d'agir sans encombrement. Dans l'instant où nous parlions de la « liberté », quelque chose de « toi » s'offrit cette liberté si précieuse. Sans que rien ne l'annonce. Nous sommes restés suspendus des poignées de secondes au-dessus du vide. Car la vraie liberté crée du vide en aspirant tout le superflu. Sais-tu combien de fois par jour cette occasion d'accomplir des actes de haute portée par leur qualité incommensurable nous est offerte ?

— Non je n'en sais rien, mais quel intérêt représente un acte que la volonté ne peut concevoir ?

— Voilà bien une question qui ne peut séduire que l'ego… Tu viens d'ajouter au monde un geste que tu es incapable de reproduire, incapable de comprendre et personne d'ailleurs ne le pourrait. Tu ne te demandes pas comment cela fut possible ?

Je le regardais silencieusement avec une expression d'incompréhension sur le visage ; je sentais bien dans les muscles des yeux et du front, des joues et de la bouche, les légères tensions qui modèlent les masques qui nous racontent à l'autre en-deçà des mots. J'étais très conscient dans cette minute de la façon dont mon esprit commandait aux nerfs et aux tendons. Je l'entendais donner ses ordres au travers des réseaux sanguins et électriques qui allaient de mon cerveau à mon visage. J'écoutais le dialogue souterrain qui disait : « Tiens ! Tends-moi ce tendon pour faire un peu pitié ! Crispe ce muscle sur les tempes pour montrer ta bonne foi ! ».

— Si je vous comprends bien, vous me dites que ce qui est important réside dans un acte que j'accomplirai de très rares fois dans une vie, qui n'aura pas été conçu par mon esprit, que je ne serai pas capable de reproduire et dont le sens ou le rôle sera presque toujours inconnu ?

— Non, pourquoi penser que cela n'arrive que rarement ? Ce mode de fonctionnement nous accompagne, nous n'y sommes tout simplement pas attentifs. Nous basons nos actions sur notre « volonté », comme tu l'as dit toi-même, ainsi, nous ne sommes pas disponibles à cette dimension de notre cerveau.

— Seriez-vous capable vous, de renouveler la scène de tout à l'heure, que se passe-t-il dans ces moments là, le savez-vous Manter ?

Il rit en se penchant vers mon oreille droite et me chuchota. « Tout à l'heure, c'était ton instant de liberté à toi ! Il t'appartient, je n'en suis qu'un témoin bienheureux » ! Je suis un chasseur de ces instants, sache que leur point de départ est toujours en toi. Il arrive que notre esprit soit trop occupé avec ses affaires internes, ou concentré sur un objectif précis, comme pour le tir à l'arc. Il calcule à plein régime voulant tout gérer. Te souviens-tu de l'image que tu avais en tête lorsque tu as lancé cette pierre ?

— Oui ! Dis-je en riant. J'imaginais une marionnette libérée et s'affalant à terre une fois pour toutes.

— Et tu as visé ce rocher là-bas, comme pour illustrer la mort de la marionnette ?

— Je ne sais pas... Peut-être quelque chose dans ce genre, oui.

— Mais ça ne s'est pas passé comme ton esprit l'avait pensé, la pierre n'est jamais retombée sur le sol. Peut-être est-ce un message de ton corps... Sa façon à lui de te dire qu'il est en lien avec ce qui est tout autour. Qu'il n'y a pas que les pensées qui décident de ta vie. Mais s'il y a eu message, il est certainement plus vaste encore et c'est à toi d'en percer le sens complet.

Je restais pensif, lui, dessinait des figures sur le sol de la pointe de son bâton. De temps en temps, il me jetait un coup d'œil par-dessous le rebord de son chapeau. Son corps diffusait une grande tendresse, je me félicitais silencieusement d'avoir rencontré cet homme qui semblait connaître tant de mystères de la vie. Un rouge-gorge sautillait un peu plus loin, il se posa sur un arbuste en picorant l'écorce. Le vent secouait les feuillages et gênait le vol d'une pie qui ne put vérifier que la trajectoire la plus courte est la ligne droite, c'est en dessinant un demi cercle qu'elle parvint enfin à rejoindre son nid. Je partis en voyage dans ma tête, un événement qui s'était produit l'année précédente refit son apparition. C'est en grande partie en raison de cette affaire que je dus quitter mon emploi dans un parc animalier. J'essayais de reconstituer toute la scène dans mon esprit et la présence de Manter qui s'était installé face à moi s'évanouit de ma conscience. J'étais en train de nettoyer les cages des lions, nous tirions les excréments avec des raclettes métalliques à long manche. Ce jour-là, je remplissais cette tâche tout seul. Un gros mâle me regardait intensément, les yeux remplis d'un sommeil fraîchement consommé. Il était couché et accompagnait chacun de mes gestes d'un mouvement de sa tête en faisant flotter sa crinière. Je crois bien que mes pensées s'étaient arrêtées, j'étais comme hypnotisé par le regard curieux de l'animal. Ce fut comme si je l'entendais en moi. Il me parlait. Sa voix était grave et douce, elle me mit irrationnellement en confiance. J'étais à cinquante centimètres des barreaux qui nous séparaient et je ne bougeais plus, écoutant la voix qui me disait : « Viens, n'aie pas peur, approche ! ». J'avais fermé les yeux, machinalement, sans réfléchir, juste pour mieux me fondre dans la voix. Il s'était levé silencieusement et se tenait le nez contre les barreaux. « Tu ne risques rien, touche moi. ». J'en étais convaincu, quelque chose en moi du domaine de l'instinct me l'assurait. J'étendis la main et la passai entre deux barres d'acier. Il se tourna pour mettre toute la longueur de son corps contre la paroi, comme pour s'abandonner à mes caresses. L'émotion tira l'eau de mes yeux pendant que ma main continuait son chemin de tendresse vers sa crinière. Il râlait de plaisir comme le font les chats. Se pouvait-il qu'il passe d'un instant de communion à l'instant qui le ferait tueur ? Une force m'empêcha d'y songer en ce moment précis. J'ai fini par passer les deux bras dans sa cage et prendre sa tête entière dans mes mains. Il a fermé ses yeux comme un enfant qui s'endort dans les bras de sa mère. Et c'est là que je fus surpris par le responsable des employés et que je reçus une belle engueulade aux accents chantants de la Provence. Le jour même, ma mère reçût un coup de téléphone du directeur. Il lui développa avec le plus grand ménagement dont il était capable que j'étais trop inconscient des dangers qui m'entouraient pour qu'il puisse me conserver dans ma fonction.

Je relevais mes paupières pendant que les images de ce souvenir s'élevaient en volutes. Manter me regardait fixement.

— Alors, on se souvient que cette expérience n'est pas si rare ?

— Comment pouvez-vous savoir ce qui se passe dans ma tête ? Dis-je avec stupéfaction. Vous me bluffez hein ?

— Oh j'ai bien vu les signes sur ton corps. Ton esprit lui racontait une histoire saisissante, un morceau de vie qui appartient au passé. Tu viens de te souvenir d'un autre moment de liberté, pas vrai ?

— Vous ne vous trompez pas… un « sacré » souvenir m'a emporté. Je renouais avec les sensations extraordinaires qui peuplaient ce moment fabuleux, cette fantastique rencontre. Je lui racontai tout dans les moindres détails et il m'écouta sans m'interrompre. Puis je finis par lui dire : « Manter, pensez-vous que ce soit possible d'entrer en communication avec les animaux comme je l'ai cru, ou fut-ce une foutue illusion de ma part et dans ce cas j'ai réellement risqué ma vie comme un imbécile ? ».

— Je suis sûr que tu connais déjà la réponse. Cette question n'est pas étrangère au thème que nous venons d'aborder. Lorsque nous ne fonctionnons pas selon les principes étroits de la raison, la communication silencieuse devient possible. Plus facile même qu'avec ces langues sophistiquées que les humains ont élaborées sur des millénaires. Mais cela ne signifie pas qu'on peut tout se permettre, le fait que ce lion ne t'ait pas dévoré est un mystère en ce qui me concerne. Je ne sais pas comment tu as fait cela.

— Je n'ai rien fait d'autre qu'écouter ce qui me parut être la voix du fauve.

— Et bien, le fait que tu sois encore de ce monde te donne sans doute raison ; j'accepte l'idée que cet animal t'ait réellement adressé la parole. Il se passe des choses vraiment extraordinaires lorsque nous abordons le monde avec l'autre partie de nous-mêmes. Celle qui sent.

— J'avoue que je ne suis pas capable de comprendre clairement ce que vous dites. Il y a donc une partie de mon cerveau qui sent, et l'autre que fait-elle précisément ?

— De l'arithmétique ! dit-il d'un ton professoral. Des calculs. Regarde ! Il pointait du doigt la direction de l'est. Vois-tu cet arbre que le vent a couché ?

Je le voyais, c'était un pin au tronc droit et long de cinq mètres. Il gisait à deux cents pas de là, posé sur ses branches, il avait dû toucher le sol sans bruit. Le mois de juin jetait son feu et l'air était rempli de senteurs, celle de la résine des conifères, celle des pollens, celle de la terre et celle des pierres. Les cigales craquetaient sans fatigue, plus il fait chaud et plus leurs « chants » sont stridents. Les mésanges occupées par leur quête de chenilles et autres insectes ne comptaient plus leurs allers-retours de leur nichée au taillis. Dès qu'elles se posent sur le rebord du nid, les vibrations alors produites sortent de leur léthargie les quatre ou cinq oisillons nus qui se redressent fébrilement, leur bec jaune le plus grand ouvert possible.

— Marchons jusqu'à lui, me dit-il. Nous allons essayer de toucher quelques fonctionnements de notre cerveau, veux-tu bien ? Il avait prononcé ces mots sur un ton mêlé de défi et de plaisanterie.

— Avec plaisir, je vous suis. Quels sont ces fonctionnements que vous voulez me faire découvrir ? Dis-je en prenant mes affaires et en lui emboîtant le pas.

— Nous allons faire un petit jeu d'équilibre, monter sur ce tronc et observer comment et avec quels outils notre esprit fait ses calculs afin de nous éviter de chuter.

Il nous fallut trois minutes pour rejoindre l'arbre, l'idée m'enchantait, je ne doutais pas de mes qualités physiques et grimper aux arbres faisait partie de mes activités ludiques courantes. Dès que nous fûmes sur place il me dit de sauter sur le tronc. Je gravis d'un saut le mètre qui le séparait du sol.

— Que dois-je faire exactement ? Dis-je en faisant le funambule les bras légèrement écartés, je traversai toute la longueur sans traîner et revins vers les racines découvertes avec facilité et plaisir.

Il me dit fermement « arrête-toi là, juste au milieu ! Avec quoi te maintiens-tu ? ».

— Avec mes pieds ! Lui-dis-je en riant. Et avec les muscles de mes jambes. Tous mes muscles se parlent et collaborent !

— C'est tout ? En es-tu sûr ?

— Avec mes bras également, bien entendu. Je ne voyais pas ce qu'il espérait que je lui réponde.

— Ok ! Alors ferme les yeux maintenant, Et fais quelques pas.

C'était une autre chanson, sans le sens de la vue mon équilibre devint plus précaire. Je faillis glisser plusieurs fois, marcher en aveugle sur une surface convexe et étroite n'est pas aisé.

— Quelles sont tes constatations ?

— Et bien, j'imagine que je peux témoigner que mes yeux et sans doute mes oreilles aussi participent à mon équilibre…

— En effet, ton cerveau utilise tes yeux, tout ce qui se trouve autour de toi est une base pour ses calculs. En le privant donc de ces données visuelles, tu vas limiter son implication rationnelle dans le défi que tu te lances. Ces informations sont périphériques et plus leur quantité est élevée, moins tu perçois les sensations qui émanent du centre de ton corps. Tes yeux sont les fidèles servants de ton calculateur mental.

— Du centre de mon corps ? Je ne comprends pas bien. Que dois-je attendre du centre de mon corps ?

Il vint me rejoindre sur le tronc et se tint face à moi. Puis il ferma les yeux, sembla se concentrer, et marcha à reculons. Tout d'abord doucement, jusqu'aux premières branches. Ses pieds n'hésitaient aucunement, comme s'il avait des yeux au bout de chaque orteil. Il revint vers moi en accélérant, se colla contre moi et repartit en arrière plus rapidement qu'il ne l'avait fait la première fois. Ses déplacements remuaient l'arbre et je faillis glisser. Les yeux toujours clos, il s'arrêta à un mètre de ma position, releva un genou et tint en équilibre sur un pied. Il changea de pied quatre fois en sautant, son équilibre était parfait.

— Comment faites-vous cela ? Dis-je à voix basse pour ne pas trop déranger sa concentration.

Il se reposa sur ses deux pieds et me sourit en disant : « Lorsque tu confies à ton cerveau des tâches arithmétiques, des tensions surviennent et génèrent des déséquilibres dans le travail de tes muscles et articulations. Mais si tu appliques le bon geste d'ouverture à la perception de ton corps, c'est la partie sensitive qui échange avec son environnement. Le reste est une affaire de calme, de respiration, et d'attention. A toi maintenant, essaie un peu !

Je fermais les yeux comme il me le demandait. Mon corps se tordait de gauche à droite, bandé comme un arc j'eus beaucoup de mal à trouver une position stable.

— Ramène toutes les sensations de ta masse physique vers le centre de ton ventre !

Quelques minutes passèrent pendant que je me battais contre mes pensées. « Ne pas se laisser aspirer par les images parasites, voilà ce qui compte, me disais-je ».

— C'est bien, tu es plus stable, le sens-tu ? Dirige maintenant toute l'énergie que tu sens dans ton ventre vers le tronc de l'arbre. Détends tes pieds au maximum, aussi détendu que si tu étais allongé sur une plage au soleil.

Détendre mon corps pendant que je le soumettais à un exercice difficile me parut un drôle de paradoxe, mais pourtant ça marchait. Plus je parvenais à détendre les parties de mon corps les plus sollicitées et plus l'épreuve était abordable. Je pouvais voir à ce moment précis deux plans distincts, comme deux voies susceptibles de me mener en un même lieu. L'un était le plan des pensées et des tensions, l'autre était celui des sensations et de la communion. Selon le chemin que je choisissais, le résultat se révélait totalement différent. Je répétais l'expérience de passer d'un mode à l'autre plus d'une dizaine de fois, car si je me souvenais facilement des pensées essentielles qui avaient traversé mon esprit, sitôt que je me déconnectais des sensations, leur souvenir devenait confus. Comme si leur nature était insaisissable par les fonctionnements de la mémoire. Mes muscles, mes tendons, mes os et ma peau semblaient à la fois plus sensibles et plus tolérants, c'était comme si je pouvais marcher sur des tessons de verre pieds nus et sans souffrance. J'ai pratiqué cet exercice pendant plus de vingt minutes, chaque voyage sur ce tronc me faisait toucher un peu plus profondément une dimension nouvelle de « l'agir ». J'étais en train de découvrir les possibilités d'un corps qui s'affranchit de la volonté pensante de l'ego. Mais je ne pus maintenir cet état de conscience plus longtemps, mes pensées revinrent à l'assaut et je ne réussis pas à les repousser une fois de plus. Je rouvris les yeux signifiant ainsi à Manter que c'était assez pour moi.

— On dirait que vous faites cela tous les jours !

— C'est le cas ! Je fais ma sieste sur une corde tendue. C'est une façon d'entretenir le lien de confiance entre « mon esprit » et « l'esprit de mon corps ». C'est aussi une forme d'entraînement. Il est bon que les conversations entre mon corps et le monde se produisent le plus souvent possible et non pas seulement à l'occasion de quelques instants furtifs.

— Je commence à saisir ce que vous appelez les « conversations entre le corps et le monde ». J'en ai eu l'expérience sur cet arbre. Si je ne vous avais pas vu faire, je n'aurais pas cru cela possible.

Il gardait le silence en me détaillant. Nous étions toujours face à face perchés sur notre tronc dans une immobilité surréaliste.

— Comme tu as pu commencer à l'entrevoir, il y a deux modes d'action. Celui que tout le monde croit bien connaître est régi par la « volonté ». La volonté découle de la raison. La raison est au service de la défense de la propriété. Le sens de la propriété est séparateur. Pour laisser la place à l'autre mode, nous ne devons pas favoriser les outils dont le rôle primordial est de produire la « séparation ». Appréhender son univers dans une intention de communion, c'est agir sans vouloir agir. C'est ce que les chinois nomment le « wou-wei ». Cette question est en rapport avec le thème de la violence, mais nous y reviendrons certainement une autre fois, il se fait tard et je dois rentrer.

— Dites Manter, nous nous reverrons n'est-ce pas ?

— Sans le moindre doute mon jeune ami.

Il me tourna le dos après avoir posé sa main droite sur l'épaule en guise de salut. Je le suivis des yeux sur son chemin de retour jusqu'à ce qu'il disparaisse sous les feuillages. Je suis retourné près du rocher où nous étions assis et me suis assoupi à l'ombre d'un petit genévrier. Lorsque j'ai émergé des ondes du sommeil, les traces magnétiques de sa présence avaient dû prendre le « train Mistral » et s'éparpiller ici et là sur les arêtes rocheuses, les tapis de buissons, les cimes des pins et des chênes. J'avais besoin de revivre ces moments passés en sa compagnie. Ne pas trop me presser de redescendre vers la civilisation bruyante et fade. Dans cette période de ma vie, les gens des cités, les « gens d'en bas » comme il me plaisait de dire, sentaient la mort. Ce sentiment fut renforcé dans la première année où je côtoyais Manter. Mais lui semblait s'intéresser aux autres, il leur prodiguait attention et bienveillance. Pendant très longtemps je ne compris pas ce qu'il pouvait leur trouver qui soit digne de l'intérêt qu'il leur offrait.

Deux longs mois passèrent avant que je ne trouve le temps de retourner sur la chaîne de l'étoile. Manter m'avait parlé de cet exercice de la corde tendue, ça n'était pas tombé dans l'oreille d'un sourd. Entre temps, la famille avait déménagé. Nous avions quitté les quartiers nord de Marseille pour nous installer provisoirement dans le village de Simiane. Les parents avaient acheté un terrain pour y bâtir, ce sera le dernier chantier auquel je participerai. Ce village est de l'autre côté du Pilon du roi, ce déménagement m'en rapprochait un peu plus. Il y avait une forêt de pins au sud des crassiers de la mine de Gardanne, j'en ai vite fait mon domaine. C'est dans cette forêt que je tendis ma corde, entre deux pins solides, une corde marine de douze millimètres de diamètre. Plusieurs fois par semaine je venais m'y entraîner. Je plaçais un poncho de laine pour adoucir le contact avec mon dos et m'allongeais délicatement. Combien de fois me suis-je retrouvé la face contre le sol ? Je ne saurais le dire, sans doute des centaines. Tout d'abord je m'asseyais en disposant une jambe de chaque côté de la corde, les pieds bien ancrés dans le sol. La ligne passait au milieu de mon bassin, puis je descendais doucement le dos jusqu'à plaquer la colonne vertébrale sur ce hamac en fil à couper le beurre. L'étape suivante, je saisissais la corde avec les deux mains, juste entre l'arbre et ma tête. Il ne me restait plus qu'à soulever un pied pour le poser en appui sur la cheville, puis l'autre que je croisais sur le premier. Il m'a fallu beaucoup d'essais avant de tenir allongé sans que je ne bascule et ne chute.

Cet exercice n'est pas un moyen de développer une adresse physique. La face invisible et essentielle est toute mentale, il s'agit, comme dans certaines pratiques du yoga d'observer les processus interactifs entre l'activité de la pensée et la conscience du corps. Celui-ci est rencontré comme une entité absolue. Les agitations de l'esprit sont vues alors comme des agents perturbateurs qui se démènent pour prendre le devant de la scène. Une scène où il est rare de voir danser l'harmonie. Manter aimait bien appuyer sur la dualité : esprit/corps. Il le faisait avec des termes aussi variés que les disciplines auxquelles il s'adonnait pour mettre en évidence les embûches posées par cette dualité. Pour lui, tout gravitait autour de cette question. Si la beauté d'un coucher de soleil nous évoque un sentiment particulier, se trouver dans l'état de voir le spectacle dans le temps précis où les deux « époux », les deux consciences qui nous habitent, se passent la « bague au doigt », est un million de fois plus beau que le coucher du plus bel astre de l'univers. Il semblait être en permanence à la lisière de l'expérience intérieure. Selon lui, elle se produit « mille » fois par jour, le phénomène le plus intime est également le plus inconnu. Chaque instant de la vie étant digne de cette expérience, il le traversait avec la même attention, le même respect. Ainsi, il regardait toute chose avec les mêmes yeux. « Tu ne connais le goût de l'orange que si tu la pèles », ces mots, il prenait plaisir à me les répéter chaque fois qu'il le jugeait nécessaire. « Symboliquement, l'image du fruit qui est à peler, représente toute la concentration que requiert chaque action. Une pensée, un mot, un regard, un geste, tout cela est action ! », Ajoutait-il chaque fois que je me laissais aller à une distraction, ou à un empressement. « Le plus nourrissant des actes ne réside pas dans le fait d'avaler ce fruit. Mais bien dans ce que tu vas lui donner lorsque tu lui retires sa peau, s'il est sur ta table ou dans ton sac à provisions. Et s'il est encore sur l'arbre, le plus nourrissant est dans l'acte de le cueillir ». Lorsque j'entendais ces mots pour la première fois et sans doute encore de nombreuses autres fois, je ne pouvais pas en percer le sens. Je les considérais comme un effet de sa nature mystique ou poétique. Les premiers temps de notre rencontre, Manter m'apparaissait comme un personnage double, un côté de lui exprimait une grande sagesse ou connaissance et l'autre une sorte de petite folie douce. Je ne tardai pas à corriger cette vision des choses tout au long des mois qui suivirent.

Chapitre 3.
Le silence intérieur

« On ne peut que se taire et rester coi quand on a arc et flèches : sinon on bavarde et l'on se querelle. Que votre paix soit une victoire ! ».

Ainsi parlait Zarathoustra – F. Nietzsche.

Au pied de l'arbre du silence endors-toi
Goûte le sucre de son fruit
Suce le noyau amer
Laisse-le fondre lentement sur ta langue
De ton cœur n'a-t-il pas la saveur ?
De ton sang n'a-t-il pas la couleur ?

— Vous savez, lui dis-je, je me suis entraîné sur la corde, et j'ai vu le lien avec la violence et la peur.

Ce matin là, je m'étais levé à l'aube. Je voulais m'imprégner de la montagne, flâner en espérant qu'il viendrait bien. J'avais emmené de quoi pique-niquer, quelques tranches de tomates serrées dans deux tartines de pain de seigle et assaisonnées par mes soins, un bout de saucisson pour caler mon estomac. Il était arrivé vers quinze heures, c'était son heure. Il y avait bien deux heures de marche depuis le lieu où l'on rangeait sa voiture jusqu'au sommet des crêtes. Le mois d'août égrenait ses jours et bientôt celui qui voit les vents du nord renaître allait arriver. Dans la famille il se disait que le quinze août sonnait la fin des vacances, l'arrivée de l'automne.

Je saluai mon nouvel ami avec une affection non dissimulée, j'étais ravi de le voir et pressé de lui faire le récit de mes pérégrinations intérieures. Il me serra fermement la main, je pensais en cet instant : « il me considère comme un adulte avec cette poignée de mains ».

— Ah oui ? Raconte-moi ce que tu as vu.

Notre relation prenait une tournure qui me rappelait la série américaine très appréciée de cette époque. Elle s'intitulait « Kung-fu », le rôle principal était interprété par l'acteur David Carradine. Je me sentais bien dans la cuirasse du « petit scarabée ».

— Tout d'abord je voudrais vous faire part d'un questionnement, êtes-vous une sorte de maître, me considérez-vous comme votre élève ?

— Ah voilà encore une drôle de question ! me lança-t-il en riant. Il respira quelques secondes avant de reprendre.

Dans le dojo où j'enseigne l'aïkido, tout le monde m'appelle « Maître » ! Tradition Japonaise oblige. Mais ici, je ne vois rien qui puisse t'inciter à me donner de cette « politesse ».

— Mais depuis que je vous connais Manter, vous m'avez appris tant de choses, n'est-ce pas cette condition qui crée le Maître et l'élève ?

— Nous apprenons de tout ceux que nous rencontrons, sais-tu ? Nous sommes également une source de savoir pour les autres. Est-ce que pour autant nous devons nous donner du titre ?

— Je ne vois pas bien ce que j'ai pu vous enseigner, lui dis-je.

— Les apparences jouent dans ce sens, mais je suis persuadé que tu en sais autant que moi. L'avance que j'ai sur toi par le nombre des années me facilite la tâche en ce qui concerne la nomination ou la définition des choses. C'est tout. Tu ne me transmets pas directement un savoir, mais par le fil de nos échanges et par ce que tu me donnes à observer ou à réfléchir, tu m'offres la possibilité d'être moins sot chaque matin.

J'étais un peu déçu, déconcerté, je tournais la langue dans ma bouche pour me donner le temps de la réflexion sur ces mots. Je ressentais tant le besoin d'être pris en charge. Le désir de recevoir un enseignement unique qui ferait de moi une personne rare. Il me stoppa dans mon ruminement. « Alors ? Veux-tu bien me raconter ce que tu as fait de beau tout ce temps ? ».

— Cet exercice sur la corde, il est riche vous savez ! Lui criai-je avec enthousiasme. J'ai pu observer que la peur de tomber est une simple pensée. Un discours intérieur qui sème la division en nous. Pourtant à cette hauteur je ne risquais rien. C'était comme si je luttais contre moi-même. Toute mon énergie était engloutie dans ce combat, je ne pouvais pas appliquer la concentration nécessaire pour percevoir le juste mouvement à produire. Les tensions et réactions des différentes parties de mon corps étaient trop brutales. Quand je me déstabilisais, je tombais comme une pierre. J'ai fini par comprendre qu'il était vain de fournir autant d'effort pour gagner l'équilibre sur la ligne tant que je ne gagnais pas l'équilibre entre « moi et moi ».

— Et qu'as-tu fait par la suite ?

— J'ai reposé mes pieds sur le sol et j'ai observé mes pensées. Je les ai suivies une à une comme on suit un fil d'Ariane et chaque fil me menait à une partie précise de mon corps. Puis je les ai éteintes, comme on éteint une lampe avec un interrupteur. Je sais qu'il est possible de le faire lorsqu'on connaît le chemin qui va d'une peur à l'organe.

— Oui, alors ton ventre s'est détendu, ta respiration est devenue plus libre et tu as senti les champs de force que tu pouvais utiliser ?

— Précisément ! Vous aviez raison, dès qu'on parvient à stopper la peur qui se répand en nous, la violence s'apaise comme un feu qui n'aurait plus d'oxygène. Et plus on s'accroche à un objectif, plus on souffle sur le feu de la violence.

— Oui, ton image est bonne, c'est bien une question de souffle. Quand la paix s'installe en toi, la respiration devient une force qui s'appuie sur tout ce qui est autour de toi. Elle étend ses bras à partir de ton ventre et tisse une toile dans laquelle tu peux te blottir, te laisser bercer et t'endormir.

Pendant qu'il parlait, je repassais mes souvenirs les plus vivants de cette expérience. Au fur et à mesure que le bavardage de mes pensées se calmait, une sensation profonde et difficile à décrire me donnait l'impression d'une dimension agrandie de mon corps. J'étais devenu un géant, il y avait au centre de ma vision la réalité physique de mon corps avec ses mesures normales, et tout autour, une enveloppe transparente. Une sorte de prolongement énergétique de mon corps. Les deux parties de mon être étaient étrangement solidaires. Quand la conscience physique ressentait une nécessité, une intention, le corps « vaporeux » obéissait et s'étirait dans la direction d'un point d'appui. Mon équilibre était sauvé.

— Dites Manter, se peut-il que tout cela ait un lien avec le message de non-violence du Christ ?

— Il me semble que les premières traces de non-violence dans la parole de ce messager résident dans son insouciance. Vivre comme les oiseaux, sans penser au lendemain. Cela peut se rapprocher du détachement et par conséquent agir sur le chahut des pensées. Les pensées n'habitent pas l'instant, elles louent les immeubles du passé et de l'avenir.

Son image le fit beaucoup rire. Moi, elle me plongea dans une intense réflexion. Le reproche qui revenait souvent dans la bouche de mes parents concernait mon insouciance naturelle. L'insouciance n'était-elle pas un des caractères essentiels de l'enfance ? Ne pas m'inquiéter des jours à venir, j'aimais bien. Mais tout le monde autour de moi et surtout le système sociétal nous pousse à préparer nos carrières d'adultes. La fameuse question de l'adulte à l'ado : « et qu'est-ce que tu feras comme métier plus tard ? », ou encore : « c'est maintenant que tu dois y penser, travailler à tes études, demain, il sera trop tard ! ». Et Manter voyait encore un lien entre cette philosophie et la violence des hommes…

— Je dois vous dire Manter que l'insouciance, je sais la pratiquer. Mais j'ai beaucoup de mal à concilier ma tendance à me laisser porter du jour au jour suivant, avec les règles de la société. Je me suis souvent demandé si cette recommandation évangélique était rationnelle, comment l'adapter à cette vie dans le monde moderne ou tout simplement sur cette planète ? Et puis, il me semble que bien des espèces animales pratiquent le stockage des provisions pour anticiper des temps plus durs, non ?

— C'est vrai ! Quelques espèces le font. Mais elles sont très minoritaires, je suppose que si elles ne le faisaient pas, elles disparaîtraient. De toute façon les espèces qui broutent ou chassent au jour le jour ne sont pas exemptes d'une certaine violence. Pour se nourrir, c'est toujours une affaire de compétition. Si cette question a du sens, elle ne peut en avoir que pour l'être humain. La violence animale est toujours justifiable. Nous sommes plus souvent violents qu'il est utile, parce que nous inventons des tas de raisons superflues de l'être… Je crois que c'est ce qu'il faut examiner.

— Êtes-vous en train de dire que la vie est inconcevable sans une dose relative de violence ?

— Je le crois bien mon gars. Mais je dis aussi que nous sommes plus enclins à la violence qu'à la douceur. Notre cerveau reptilien sans doute a fini par considérer que c'est le meilleur moyen de survivre. Alors que c'est faux, cette violence dégagée nous nuit d'une façon ou d'une autre. Un jour prochain, nous en paierons personnellement les frais.

— Alors, comment faire pour endiguer cette agressivité ?

— Entrer dans le paradoxe mon cher. L'excès de violence vient de l'excès de peur, et l'excès de peur vient de notre sentiment d'importance. Pourtant, nous ne pouvons pas renoncer totalement à ce sentiment d'importance. Il nous faut trouver le juste compromis entre la volonté de vivre et la volonté de faire mourir.

— Dites Manter, est-ce que l'espèce humaine est naturellement encline à réagir avec violence plus souvent que de raison, ou bien sommes-nous en proie à un conditionnement ?

— Je pense que certains éléments de notre histoire ont contribué au développement de notre instinct de domination. Dans presque toutes les espèces on peut observer qu'il existe des couches sociales. Chaque couche confère un « pouvoir » correspondant à un étage de la pyramide.

Mais encore, au sein de chaque couche, des pouvoirs individuels s'exercent les uns sur les autres.

— Qu'entendez-vous par le mot « pouvoir » ?

— Un « pouvoir », c'est l'exercice d'une autorité et l'autorité recherche toujours le même objectif : la domination. Chez l'être humain, le besoin de dominer est exacerbé. Les systèmes de civilisation, les cultures, les religions, les traditions, l'éducation, et cætera… ont servi de base à l'installation de réflexes toujours confondus avec l'ordre naturel des « choses ». La compétition absolue et étendue à tous les domaines nous est enseignée dès notre plus jeune âge. Nos parents préfèrent nous voir développer un caractère de gagnant. On ne peut plus compter les étages de nos pyramides sociales, leur nombre est infini. Il y a toujours un homme au-dessous d'un autre et un homme au-dessus. Ce conditionnement est plus ancien que la culture grecque ; il est la structure de notre vision du monde, la charpente de nos morales et de nos philosophies.

J'entendais ces mots, ils faisaient écho en moi. Me battre pour occuper une position élevée fut la seule recette que j'ai retenue pour résister au sentiment que mon père avait planté en moi comme un couteau. Sa façon de me tenir par l'oreille en me répétant que j'étais un cancre, un sous doué. Que je resterai un incapable toute ma vie. La graine aurait pu germer et donner l'arbre de la ruine. Mais un serpent rampait dans les entrelacs de ses racines. Je devins un combattant. Relevant les défis que les autres écartaient. Je pris tous les risques. La lecture de « Ainsi parlait Zarathoustra » dans ma seizième année m'insuffla la « volonté de puissance », je voulais être le plus fort et pour cela j'entraînais mon corps et mon esprit. Telle était la vie, une affaire de compétitions, de victoires ou de défaites.

Il m'observait remuer mes pensées comme on agite un veston pour en vider les poches. Encore une fois il lut en moi et n'attendit pas la remarque que je m'apprêtais à lui faire. « Je ne crois pas que l'homme ait inventé la lutte pour le pouvoir, comme vous le dites vous-mêmes, il doit y avoir quelqu'un qui m'est supérieur et quelqu'un qui m'est inférieur ! ».

— Tu ne seras jamais supérieur à un autre, tu ne seras jamais inférieur à un autre non plus. Tout ce que tu peux faire c'est être égal à toi-même. Ce qui signifie, utiliser tous les moyens qui sont en toi, plutôt que gaspiller ton énergie dans des combats qui n'existent que pour te distraire et t'éloigner de l'essentiel. Vois-tu, à partir de cette simple connaissance, tout une partie du décor que l'on t'a appris à voir, que l'on t'a invité à dessiner s'écroule et la question de la violence se repose plus clairement.

— Mais Manter, vous pratiquez un art martial, comment pouvez-vous mesurer la qualité de votre expérience sans vous confronter au talent d'autres pratiquants ? Et puis au fait, pourquoi pratiquez-vous l'aïkido ?

— Il ne s'agit pas de pratiquer une discipline pour se confronter aux autres. Ceci est une mauvaise interprétation et une vaine orientation de ses efforts. L'art de vivre est une possibilité de chaque instant, quel que soit sa forme. Sa fonction première est d'apprendre à se maîtriser, il faut entendre ici que notre seul adversaire est soi-même. Les disciplines sont nombreuses, leurs formes et leurs noms sont variés mais elles ne servent qu'une seule cause…

— J'ai compris ! L'interrompais-je, vivre chaque geste pour ce qu'il est. Comme sur la corde !

— Voilà ! Tu viens de résumer toute la question. Chaque fois que tu ressentiras le temps qui s'écoule, ta vie en somme, non pas en comptant les secondes, mais en remplissant l'espace de tes gestes, tu savoureras la plénitude de ton être.

Il se leva et accomplit une série de mouvements, je me tenais à quelques pas de lui. Son regard changea, ses yeux étaient fixes et semblaient se poser sur un horizon qui ne figurait pas sur le décor que j'avais devant les yeux. Quelque chose de très étrange m'arrivait. Ma respiration, le mouvement de mon ventre m'échappaient. Ils n'étaient plus à moi, ils participaient à une œuvre qui me dépassait. Mes poumons ne se remplissaient pas seulement d'air mais d'une énergie inconnue qui établissait un lien mystérieux entre eux et chacun de ses gestes. Il s'immobilisa dans une position qui me rappelait un cavalier sur son cheval, étendit ses bras droit devant et face à moi. Puis il me fit un signe qui signifiait : « viens vers moi ». Je fis un pas, puis deux, mais quelque chose m'empêcha de faire le suivant. Une force appuyait sur mon ventre et me retenait. J'étais confus, je voulus me déplacer latéralement pour retenter une approche par un autre angle, mais ma tentative fut vouée à l'échec. Une énergie invisible m'interdisait de réduire la distance.

— Mais comment faites-vous ça Manter ? Lui criai-je désespéré autant que surpris.

Il se redressa et son regard retrouva son éclat habituel, ce qui me rassura. Puis il pointa le sol m'invitant à chercher quelque chose. Il y avait une ligne circulaire qu'il avait tracée avec les pieds pendant qu'il effectuait ses mouvements. C'est cette ligne qui avait interdit mon approche, comme un rempart elle se dressait autour de lui et me barrait la route. J'étais stupéfait !

— Entre maintenant, fit-il, tu le peux, la porte est ouverte !

Je l'interrogeai du regard pendant qu'il pointait du doigt une mystérieuse poignée de porte. J'avançai vers lui comme il me le demandait. En effet le phénomène avait cessé, j'étais à nouveau libre de mes mouvements.

— Je ne peux rien t'expliquer pour le moment. Considère que c'est comme ce qu'il t'a semblé voir sur ta corde, une forme d'énergie qui devient assez dense, comme de la matière. Ou bien considère que tes sens t'ont abusé, que tu viens d'être dupé par une illusion.

Un silence venait de tomber, nous enfermant dans une bulle. Je pensais que je ne connaissais rien de lui. Jardinier, professeur d'aïkido, c'était tout. La façon dont je m'étais laissé couler dans cette relation me surprit. Maintenant il m'intriguait, tout au moins me semblait-il bien mystérieux.

— Vous voudrez bien m'expliquer un jour ce que vous avez fait là Manter ?

— Crois-tu pouvoir faire entrer dans ta tête l'univers tout entier ? Lorsque tu ne cherches plus à penser les choses, elles se montrent dans des formes nouvelles et étranges.

— Vous ne croyez pas que tout doit pouvoir s'expliquer ?

Ma question le fit sursauter de rire, mais je ne me laissai pas submerger par le doute. Je me considérais comme un esprit rationnel. Tous les mystères du monde avaient forcément une clé pour les pénétrer.

— Explique moi si tu le peux qui tu es…

— Je sais ce que je suis ! Lui criai-je. Je peux vous raconter tout le chemin que j'ai fait, tout ce qui m'est arrivé, et de quelle façon cela m'a touché, comment j'ai réagi. Ne suis-je pas fait de toutes ces briques ?

— Non ! Là tu ne me parles que de ta garde-robe. De tes valises, de tes caves et tes greniers, de tout ce dont tu t'es encombré. Ça ne m'intéresse pas beaucoup. Parle-moi de toi.

De quoi voulait-il que je lui parle ? Je ne voyais pas. Cela bouillait dans ma tête, un vol de corneilles passait au-dessus du pilon en jetant des « coa ! coa ! coa ! ». Autant de « quoi ? quoi ? quoi ? » qui tombaient bien en cet instant. Je creusais, cherchais en moi quel souvenir allait me secourir ? Qui suis-je ? Était-ce la bonne question ? Ou alors « que suis-je ? ». A cette dernière question je ne pouvais que répondre : un homme. Cela restait vague. Plus je réfléchissais et plus je me rendais à l'évidence que je ne savais rien de ce « moi ». De ma personne je pouvais décliner une certaine identité, un vécu, des opinions, une histoire. Ma cave et mon grenier, comme il disait.

— Je ne sais pas quoi vous dire Manter, vous avez raison ! Il est impossible de savoir ce que l'on est. Tout est anecdote, et je vois bien que je ne peux me résoudre à me définir par une somme de souvenirs, de sentiments ou d'idées. Mais vous, sauriez-vous parlez de vous ?

— Si je t'ai posé cette question, c'est parce que tu sembles croire que l'on peut tout raisonner, tu attends une explication pour chaque événement. Nous ne sommes pas bien placés pour témoigner de nous-mêmes. Si nous ne pouvons pas savoir ce que nous sommes, notre reflet nous est renvoyé d'une façon permanente par tout ce que nous approchons. Je crois que la bonne question est plutôt celle-ci : que sent de moi ce brin d'herbe, cet insecte, cet arbre, cet homme ? Etc. Ce reflet, je l'épie, je le saisis dès que mon attention me le permet. Je l'attends comme un chasseur à l'affût. C'est de cela que mon temps est fait. Dans cette démarche, tu constateras que ton regard sur tout ce qui t'entoure change. Lorsque tu parviens à voir ton reflet dans les mouvements de la nature, tu es en mesure de voir que dans tes propres mouvements celle-ci se mire réciproquement.

Le vent s'était tu. Mes pensées jonchaient le sol comme les perles évadées d'un collier rompu. Deux petits papillons jaunes dansaient une farandole. J'entendais le chant des chardonnerets, chacun son tour ils y allaient de leurs trilles revendiquant leur espace vital. Je suivais des yeux une colonne de fourmis qui transportaient de petits morceaux de feuilles et de bois. Je croyais voir une caravane de chameaux dans son désert. Quelque chose avait craqué dans mes oreilles, je réalisais plus finement que nous n'étions pas seuls Manter et moi sur cette montagne. Tout était vivant et actif et ce « vivant » nous accompagnait.

— Tu entends ? me dit-il en posant ses deux mains sur mes épaules. C'est bien ! Laisse aller les pensées, respire avec le ventre. Le chant de la nature pénètre en toi.

— Je suis troublé Manter, lui dis-je. Je ne comprends pas ce qui se passe dans mon cerveau. La faculté de mes sens est anormale ! J'entends le bruit de pas des fourmis. Tout est devenu plus grand, plus large. Comme les mouvements d'ailes des papillons, je les vois au ralenti.

Il me massait les épaules, en murmurant des mots dont je ne saisissais pas le sens. « Ne t'inquiète pas, tu as simplement fait sauter quelques bouchons. Le monde, avec ses sons, ses parfums et ses couleurs vient d'entrer en toi par une autre porte. Respire et suis du regard intérieur les mouvements de l'air en ton corps. ».

J'essayais instinctivement de relancer le raisonnement, mais mes pensées ne m'obéissaient plus. Elles étaient comme engluées dans une matière grise sensible. Mon esprit était envahi de sensations. Un bourdon butinait une fleur mauve, la musique grave de son vol sur place vint s'allonger sur mes cordes vocales, je pouvais les sentir vibrer à l'unisson. Lorsque je prêtais attention au rythme de mon cœur et au flux sanguin dans mes veines, c'est une petite lumière jaune orangée et chaude qui m'apparaissait.

— Je suis empli de la beauté des choses ! Lui murmurai-je avec force.

— Tout était déjà là tu sais ? Tu t'es décidé simplement à le voir, à l'entendre. Tu as cessé la conversation pour accéder à la communion. Le cerveau en connaît le chemin. Lorsque les deux côtés parviennent à un accord, cela se passe ainsi.

— Mais qu'est-ce qui a permis cet accord en moi sans que je n'en sache rien ?

— Sans doute le fait que tu te sois mis dans une situation de blocage mental. Trop de questions pour lesquelles tu ne pouvais puiser aucune réponse satisfaisante. C'est une sorte de disjonction de l'esprit.

Il partit en quinte de toux mélangée de rire, ou sans doute sa toux voulait camoufler son hilarité. Un long silence s'installa entre nous et dans la faille qui me coupait en deux. Cette fissure dans mon esprit avait effectivement produit un état sensible. En cherchant à définir qui j'étais, j'avais touché un mur avec ma tête. L'analyse échouait, l'appareil qui s'évertue à trouver un sens tournait dans le vide. C'est là qu'un autre outil prit le relais et je voyais bien que ce que je considérais comme mon « moi » n'avait pu conserver aucune maîtrise sur le phénomène. Pour sortir de ce blocage, je devais orienter la conversation, trouver une autre question, n'importe laquelle dissiperait mon trouble.

— Communier avec la nature est une expérience plaisante, je crois que je suis totalement ouvert à ce type de relation. C'est avec les humains, il me semble, que l'opération est ardue. Il est rare de rencontrer des personnes qui en valent la peine, n'est-ce pas Manter ?

— Ah bon ? C'est quoi des personnes qui en valent la peine ?

J'avais très peu de relations à cette époque de ma vie, les personnes de ma génération ne partageaient pas les mêmes centres d'intérêt. Je m'ennuyais avec eux. Les adultes ne parlaient que de travail, d'argent, de sexe, de voiture ou de foot.

— Eh bien les gens comme vous par exemple ! Fis-je avec un peu d'ironie.

— Quel genre de problèmes as-tu avec les gens ? Dit-il en levant le menton vers moi d'une façon encourageante.

— Cette année j'ai eu des soucis avec des gars qui fréquentent le même centre de formation pour adultes que moi. Des petites « frappes » de la cité de Frais-vallon. Ils m'ont pris en grippe je crois bien. Cela va mal finir, j'en ai peur.

— Tu es leur souffre-douleur, c'est cela ?

— Oui, tout à fait ! Trois gars qui me harcèlent toute la journée, j'ai une grande appréhension de me rendre à mes cours. Ils me bousculent chaque fois qu'ils me croisent dans les couloirs, se servent dans ma trousse et mon sac ou jouent avec mes affaires vestimentaires. Ne cessent de comploter sur mon compte. Ils sont plus âgés que moi et coutumiers des bagarres, je sais bien qu'un jour ils voudront me rouer de coups.

— Et que fais-tu quand ils décident de s'en prendre à toi ?

— Mais je ne sais pas quoi faire ! Là est le drame... J'essaie tant bien que mal de limiter la casse, je cours derrière mes affaires qui volent sous le plafond de la salle de cours.

— Lorsque tu es agressé, combien de façon d'agir différentes peux-tu concevoir ?

— Et bien je vois celle que j'ai appliquée jusqu'à présent, je subis en me plaignant. Il y en a bien une autre mais je ne peux me résoudre à m'y engager, celle qui consiste à me défendre en rendant les coups. Je serais perdant si je choisissais cette solution et mon sort empirerait. La troisième reviendrait à fuir, mais il me faudrait abandonner mon apprentissage. Je n'en vois pas d'autre.

— Si je résume ce que tu viens de dire, tu as la passivité, la réponse ou le recul. Nous sommes d'accord ?

— Nous le sommes !

— Ces trois solutions sont en fait la même, tu réagirais par rapport à eux, ils resteront les vainqueurs dans tous les cas, puisqu'ils auront réussi à t'impliquer dans leur jeu.

— C'est vrai ! Vous avez une autre option à me proposer ?

— Dans tous les cas, je préfère agir que réagir. Les danseurs dépendent des musiciens. Soit tu deviens toi-même un musicien et tu joues pour que les autres dansent sur ta musique. Soit tu montes encore d'un cran, et tu prends le rôle du compositeur.

J'essayais d'imaginer des situations correspondant à ces propos, mais ils restaient surréalistes, je ne discernais pas l'aspect pratique des choix qu'il m'indiquait.

— Je ne vois pas comment faire Manter, je ne comprends pas grand chose à ce que vous me dites. Enfin… je crois que j'en saisis l'idée, mais pas du tout le moyen de la concrétiser dans cette situation précise.

— C'est bien normal, lança t-il. Tu n'as pas les bases. Je vais te donner quelques notions « d'Irimi-nage », c'est tout ce que je peux faire pour t'aider, compte tenu du peu de temps dont nous disposons. Il s'agit d'une technique d'Aïkido pour affronter, envelopper et détourner les assauts.

— J'ai presque un mois devant moi avant de reprendre les cours au CFA. Tout ce que vous voudrez me montrer sera mieux que rien, n'est-ce pas ?

Il me fit signe de le suivre jusqu'à une petite aire herbue et assez plane. Une fois sur place, il me fit un petit discours sur l'esprit de la « vague ».

— Tu dois apprendre à accepter le geste qui vient te menacer, me dit-il ! Le recevoir comme un cadeau, donc sans crainte. T'inspirant du mouvement de la vague, absorber l'énergie de l'attaque, la faire tienne. Une fois qu'elle t'appartient, elle t'obéit. C'est là qu'il faut la restituer à son origine. Mais tu dois toujours y ajouter une part personnelle. Ainsi, lorsqu'elle est de retour vers son créateur, elle le surprend parce qu'elle s'est transformée en toi. Elle est devenue une étrangère pour lui.

J'ouvrais de grands yeux comme un enfant qui entend un conte mystérieux, il était en train de me parler d'un pays lointain que les hommes ont sans doute oublié.

— Et comment fait-on cela ? Lui dis-je.

— Le mouvement est simple en vérité, c'est l'état de tranquillité qui est plus difficile à trouver. Frappe-moi ! Vas-y !

Comme j'hésitais à faire un geste qui me semblait irrespectueux, il m'encouragea : « si tu ne le fais pas je ne pourrais pas te le montrer, allez un peu de courage ! ».

— Que je vous frappe comment ? Avec la main, ou le pied ?

— Penses-tu que ton adversaire te posera cette question ? Répliqua-t-il en riant tout son saoul. Fais comme tu veux !

Je lançai un assaut timide, le poing fermé fusant vers son ventre. Il se contenta de creuser son abdomen. « Ton attaque manque de conviction mon ami, tu ne dois pas faire semblant, attaque pour de vrai ! ». Je reculai d'un pas et l'attaquai à la gorge, je vis mon poing passer à un centimètre de sa carotide. Une fraction de seconde plus tard je voyais toujours mon poing mais Manter avait disparu du cadre ou bien c'était moi qui n'étais plus dedans. Je me sentis décollé du sol puis retourné sur moi-même par une mâchoire de doigts qui me serrait le poignet. Les images défilaient si vite, je vis le haut des arbres, puis un nuage spectateur de la scène, et en fin je sentis l'odeur sèche de l'herbe pénétrer dans mes poumons. J'étais face contre sol sans avoir eu le temps de prendre des clichés de mon vol.

Manter me donna des leçons d'Aïkido à deux reprises. Cela me donna un peu d'assurance pour affronter la rentrée au CFA. Les ennuis recommencèrent assez vite mais j'étais déterminé à ne plus me laisser faire. Il ne fut pas question pour moi bien entendu d'appliquer ce jour-là les conseils « hautement spirituels » que Manter me prodigua.

Quatre ou cinq heures d'arts martiaux, c'est peu. Même avec l'excellent pédagogue que j'avais eu la chance de rencontrer. Toutefois, mes peurs avaient bien diminué lorsque dans la cour du centre de formation le premier échange violent se produisit. K. et D. se placèrent face à moi comme pour avoir une franche discussion. Je me souviens que l'absence du troisième larron m'étonna. S'il ne se trouvait pas avec eux, c'est parce qu'il avait pour mission de me planter dans le dos ses genoux dans un élan qui tenait tout du saut en longueur. Je le sentis arriver et eus le temps de pivoter, c'est son ami qui le reçut dans la poitrine. Je donnai un coup de poing au ventre de celui qui restait droit sur ses jambes, la situation en resta là. Nous fûmes séparés par deux professeurs qui fumaient leur clope non loin de là, mais ils me donnèrent rendez-vous « à la sortie ». A dix-sept heures ils m'attendaient dehors. K. était le meneur, sa loyauté me surprit lorsqu'il me proposa un combat « un contre un » ; je m'attendais à pire et j'en fus très heureux. Aucun n'eut le dessus sur moi et la distribution des gnons a comblé toutes les attentes. Je m'en sortais à bon compte, que des blessures légères. Je remerciais Manter dans le silence de mon cœur de m'avoir donné le courage qui me manquait. Avant de nous séparer le dernier samedi du mois d'août, il m'avait dit « souviens-toi, le calme et le sang-froid sont les meilleures armes ! ». Je ne savais pas qu'un jour prochain, il me ferait la démonstration de son talent. J'allais goûter en « live » la saveur de son « non agir ».

Chapitre 4.
Les bancs publics

« Apprendre à détourner les yeux de soi-même pour voir beaucoup de choses, – cette dureté est nécessaire à tous ceux qui gravissent des montagnes ».

Ainsi parlait Zarathoustra – F. Nietzsche.

Le doute
Ça s'attrape comme les papillons
Avec un filet fin
Des gestes tranquilles
Des yeux tendres

L'automne s'annonçait avec son cortège de couleurs du jaune au pourpre. Le mistral remuait le lit des boulevards et des nuées de feuilles mortes recouvraient trottoirs et bitume des rues. Les piétons qui arpentaient le Cours Mirabeau se couvraient le visage avec leur foulard et leur col roulé devant les yeux des Atlantes indifférents. Ces colosses de pierre qui soutiennent la porte de l'hôtel Maurel de Pontevès au numéro trente-huit de cette célèbre voie m'inspiraient dans ma quête de force et de tranquillité. N'étaient-ils pas sereins, eux qui contemplaient jours et nuits ces êtres fragiles et mortels, ces êtres de chairs avec leurs émotions, leurs nervosités et leurs inquiétudes, avec leurs joies éphémères ? Ils avaient vu le temps rider et flétrir des générations d'humains coutumiers des lieux, mais leur peau minérale souffrait à leur tour, leur visage se creusait sous les coups du vent et de la pluie. Déjà un peu de leurs particules était passé dans nos bouches, nos poumons. L'homme et la pierre finissent par fusionner dans la même poussière sous les dalles des cimetières.

Le côté le plus fréquenté était celui des bars et boutiques, en face des statues infatigables. Il y avait une grande terrasse à l'angle de la rue de Nazareth, mais je ne suis pas sûr du nom, peut-être a-t-elle été rebaptisée à ce jour. Des musiciens de tous niveaux jouaient pour les clients du bar et surtout pour les passants friands de ces plaisirs de la rue, l'auditoire était généreux et entretenait cette tradition aixoise, de ville toujours en fête. Ma bourse n'était pas à la hauteur des tarifs pratiqués, mais parfois j'y buvais le café noir. J'y ai passé des jours entiers et des nuits parfois, assis sur ce banc où Manter m'avait donné rendez-vous.

Croiser les regards, guetter ici l'éclair d'intelligence, là un reflet de sentiment invitant à la rencontre.

Octobre touchait à sa fin, deux mois riches en découvertes venaient de s'écouler. J'avais consacré chaque samedi à l'étude de cet art qui ne cachait plus aucun secret à Manter. Beaucoup de choses avaient bougé, dans mon esprit et dans mon corps. Plus qu'une simple technique, l'aïkido tel qu'il me le transmettait me touchait profondément. Il modifiait mon regard, ma façon de marcher et de respirer bien sûr, mais surtout, il semblait faire le ménage dans mes pensées et mes sentiments. Lorsque je peinais à reproduire un mouvement, Manter collait son corps contre le mien, me serrait contre lui et j'imaginais danser le Tango. Il prenait ma main dans sa main et accomplissait tout l'exercice, m'entraînant à le suivre et nous étions soudés comme des frères siamois. Cette méthode opérait plus efficacement que la répétition des mouvements effectués des centaines de fois. Cela ne passait plus par le mental, ça rentrait directement par la peau et les muscles et semblait se fixer dans la mémoire des os. Manter était intouchable, chacun de mes assauts ne frappait que le vide. Il m'encourageait à l'attaquer par surprise chaque fois que je le désirerais. Je le fis souvent durant ces moments consacrés à cet apprentissage de l'art de l'esquive. Je tentais de le surprendre de dos lorsqu'il marchait devant moi, toujours il le sentait ou m'entendait arriver et me faisait voltiger par-dessus lui. Mais jamais il ne me fit mal, accompagnant mes chutes sur le sol souvent hérissé de cailloux, sa manière de me porter et de me déposer en douceur ajoutait de la majesté à sa maîtrise. L'exercice qui eut le plus d'effet sur mon esprit cartésien fut celui des combats en aveugle. Manter couvrait ses yeux avec un foulard et se tenait au centre d'un cercle de deux mètres de diamètre tracé dans la terre. Je devais l'attaquer et tenter de l'obliger à franchir la ligne du périmètre. Soit je ne parvenais pas à le faire bouger, soit il me sortait du cercle en retournant contre moi l'énergie que j'investissais.

Je l'attendais depuis une heure, assis sur ce banc, le mauvais temps n'avait pas désempli le trottoir de ces cohortes errantes. Il n'était pas en retard. Par une habitude qui datait de la petite enfance, je ne savais pas faire autrement que d'arriver toujours longtemps avant l'heure à mes rendez-vous ; la peur de rater la sonnerie du réveil, d'être retardé par mes frères qui dormaient d'un sommeil imperturbable. Mon subconscient n'a jamais daigné attendre cette alarme pour m'arracher à mes rêves. J'ouvrais les yeux dès les premiers symptômes d'éveil de la ville, depuis la maternelle il en était ainsi.

Je guettais son arrivée, tournant la tête de gauche à droite, contemplant le courant humain qui descendait vers la rotonde. Il arriva par la chaussée, derrière moi et le banc sur lequel je me trouvais. Il avait dû traverser à pied le cours Mirabeau, garer les véhicules en cet endroit de la ville était pratiquement une chose impossible. Le « cours » portait bien son nom car dans mon imagination il ne s'agissait pas d'un boulevard mais d'un fleuve. Quelque fois, j'étais un de ces bois flottant à sa surface, d'autres fois, un pêcheur assis sur sa rive. Plus tard, j'ai pris goût à cet exercice qui consiste à épier les gens, faire parler leurs mimiques et leurs regards, leurs corps et leurs vêtements, leurs habitudes et leurs craintes aussi. Les heures défilaient sans que les grains de poussière de l'ennui ne s'y déposent. Tout y était intéressant, je me souviens avoir passé trente-six heures sans interruption sur ce banc. J'employais tout mon temps à observer la foule qui déambulait. L'homme et l'animal y venaient montrer des petits morceaux de leur vie. Je saisissais au vol, des bribes de leurs conversations, quelques portraits rares gardent encore toute leur fraîcheur dans mes souvenirs. Un an consacré à la contemplation de la vie urbaine, en ce lieu exclusivement, me rendit intimes les habitants du quartier.

— Salut ! Me fit-il en me tapotant la tête, pas trop froid ?

Je me levai d'un bond pour lui serrer la main et lui témoigner à la fois ma joie de le voir et ma gratitude envers lui.

— C'est drôle, je ne sens pas le vent sur moi. Je suis bien couvert, non je n'ai pas froid, comment allez-vous ?

— Je vais à pied, me répondit-il sur un ton de plaisanterie. A pied comme tous ces gens-là.

— Que venons-nous faire ici Manter ?

— Nous allons écouter ce que les gens ont à nous dire, c'est un excellent travail pour toi qui a tant de soucis avec eux.

— Comment ça ? Voulez-vous dire que nous allons avoir des conversations avec les passants ?

— Non, nous n'allons pas leur parler, seulement les écouter, répondit-il en se moquant de mes craintes. Nous allons nous asseoir bien sagement sur ce banc, et tendre l'oreille sur les secrets des passants.

— Bah, je ne suis pas sûr que leur vie privée présente un intérêt quelconque pour nous, lui dis-je d'un air ennuyé. Ils ont tous la même vie, les mêmes soucis et les mêmes centres d'intérêt.

— C'est un peu vrai ce que tu dis, mais peu importe. Ce qui compte c'est d'apprendre à écouter la musique et non la musique elle-même. Ce qui est important ici et maintenant, c'est d'ouvrir tes oreilles et tes yeux. Le cœur suivra le chemin de tes sens. Tiens ! Voilà une dame qui descend vers nous, celle avec le sac noir en bandoulière et le pardessus gris. Vois-tu ? Elle remue légèrement les lèvres.

La dame en question avançait doucement, portée par le « courant du fleuve », à trente mètres de nous. Elle était de petite taille et de forte corpulence, visiblement entre quarante-cinq et cinquante ans. Elle marchait en regardant le trottoir devant elle. Rien de ce qui l'entourait ne semblait avoir de prise sur elle, totalement absorbée dans ses pensées.

— Observe d'abord sa façon de marcher, elle a les pieds en canard et dodeline des hanches. Sans doute que cette femme a porté beaucoup de poids dans sa vie, et sûrement aussi beaucoup d'enfants. Elle souffre d'une sciatique probablement, car il y a une raideur dans sa jambe droite. Elle vient de connaître la perte d'un être cher qui l'a profondément perturbée. Elle est en train de lui parler d'ailleurs. Sans doute lui fait-elle le reproche de les avoir abandonnés à des temps amers…

Je l'écoutais l'air abasourdi, j'étais sûr qu'il me charriait. En ce qui concernait la sciatique passe encore, mais des détails aussi subtils de sa vie privée je ne pouvais pas le croire.

— Ce n'est pas possible Manter, de deviner tant de traits de la vie des gens ! Vous me faites marcher ?

— Qui te parle de divination ? Il s'agit d'une lecture de signes exprimés par le corps de cette femme.

— Prétendez-vous qu'on puisse décrypter autant d'informations avec des gestuelles ou des expressions sur le visage ?

— Tu n'imagines pas tout ce que le corps révèle, même lorsque la bouche dit le contraire ou lorsqu'elle ne veut pas l'admettre.

Bien que sceptique, je pouvais accepter le concept qu'il me présentait. Mais j'espérais qu'il m'en apporte la preuve et qu'il m'explique la finalité d'une telle action. Quelque chose en moi se sentait brutalisé à la pensée qu'un homme puisse soulever le voile de notre intimité. Qu'en était-il à mon sujet, Manter était-il capable de me voir tel que j'étais au-dessous de mon masque ? Savait-il me voir plus clairement que je ne me voyais moi-même ? La femme passait maintenant devant le banc, elle chuchotait des mots avec un interlocuteur invisible pour nous, mais bien réel pour elle, une conversation dont je ne pouvais saisir le sens. Elle s'arrêta à notre hauteur sans nous donner le plus petit regard. Ses yeux tournés vers un « intérieur » non partageable. Elle chercha un objet dans son sac, c'était un paquet de cigarettes. Dès qu'elle eut porté le filtre à ses lèvres, Manter se leva prestement en sortant un briquet de sa poche qu'il alluma la main tendue vers l'extrémité de la cigarette. Elle lui sourit en guise de remerciements, et plaça machinalement sa main droite sur sa hanche. Sans savoir comment, je reçus dans ce geste une confirmation qu'elle souffrait effectivement de sa jambe.

— C'est bien douloureux une sciatique et ce temps n'arrange pas les choses !

L'homme dit ces mots sur un ton qui ne demandait rien. Comme une évidence. C'est ainsi qu'elle les entendit puisqu'elle oscilla la tête en signe d'approbation. Puis elle reprit sa marche en rejetant la fumée de sa cigarette par la bouche. « Quelques secondes et nous n'aurons jamais existé pour elle », c'est ce que je pensais en cette minute. Derrière son front, il ne devait y avoir aucune place pour des existences superflues comme celle de Manter et la mienne. Nous la regardâmes silencieusement diminuer avec la distance, feuille morte légère à la surface de l'eau.

— Ok, ok ! Lui dis-je à mi-voix. Vous n'avez sans doute pas tort en ce qui concerne ses douleurs. Mais comment pouvez-vous être aussi sûr de vous au sujet de son deuil ? Rien dans ses vêtements ne permet de tirer cette conclusion, vous êtes d'accord ?

— C'est dans les cernes de ses yeux et la tension dans sa lèvre inférieure tirée vers l'angle de sa joue gauche qu'elle affiche son chagrin. Lorsqu'elle s'est arrêtée à notre hauteur, que regardais-tu ? Ses vêtements râpés, ses chaussures ? Si tu avais choisi d'observer ses yeux, tu aurais vu toi aussi qu'ils portaient la trace de pleurs prolongés.

Je restai bouche bée, il se pouvait bien qu'il ait raison une fois de plus, je contestais quelque chose que je n'avais pas choisi de vérifier par mes propres yeux. J'étais épaté qu'il ait pu prendre connaissance de ces détails si vite et à une distance qui me semblait si grande. Le fait que cette personne se soit arrêtée pour allumer sa cigarette juste devant moi, comme pour me donner une possibilité que je n'avais pas su exploiter, ajouta à ma contrariété.

— Dites-moi Manter, à quoi sert cette démonstration de votre talent d'observateur, que suis-je censé comprendre ici ?

— Il y a deux points importants dont je voulais m'entretenir avec toi. Nous prêtons la plus grande partie de notre attention aux formes les plus apparentes, pour ne pas dire les plus grossières. Mais nous négligeons les messages les plus subtils. C'est à dire, ceux qui nous parlent plus profondément et surtout sans maquillages ou déformations. La seconde partie de ce que je voulais aborder est une vérité qui concerne notre relation à ce qui nous entoure. Tout ce que tu regardes, ce que tu touches, ce que tu fais, ce que tu aimes ou rejettes, c'est toi ! Toute attitude que tu adoptes dans ce monde, c'est à toi qu'elle profite ou nuit en définitive…

— Attendez ! Attendez ! Vous allez trop vite, restons-en à la première partie. J'ai besoin que vous me développiez, je ne saisis pas grand chose à ce que vous dites.

Il partit en éclats de rire devant mon impatience mêlée d'inquiétude. Il en a toujours été ainsi pour moi, dès qu'un sujet me semblait trop abstrait, que je me sentais « largué », je paniquais.

— Ne t'inquiète pas, nous allons avoir le loisir de voir tout cela de plus près. Retiens ceci pour le moment, notre esprit est instruit pour communiquer avec un outil formaté, ou la parole tout simplement. Nous considérons ce moyen d'échanger les informations comme essentiel, et pourtant, il est presque toujours décalé avec la réalité.

— De quelle réalité parlez-vous ?

— Nous appréhendons le monde de deux manières simultanément. Il y a une réalité pour notre côté rationnel et une multitude de réalités pour notre côté « intuitif ». Mais il n'y a pas d'outil de communication qui puisse servir les deux parties de notre cerveau dans le même temps.

— Êtes-vous en train de me dire, que ce qui fait de nous des êtres intelligents est éloigné d'une bonne connaissance et compréhension de ce qui se passe réellement ?

— En effet, tu as bien entendu ce que je dis. Et pourtant c'est essentiellement ce moyen qui nous permet de comprendre ce qui arrive, notre parole est également la base de notre réflexion et de notre analyse. Notre « connaissance » repose sur un système de description inadapté et trompeur. Trompeur parce que trop limité et surtout au service de nos petits intérêts.

— Mais alors, que se passe-t-il entre nous ? Nous utilisons bien le même outil pour communiquer.

— En ce qui te concerne c'est vrai, mais tu as eu l'occasion de constater plusieurs fois que bien que j'utilise le langage pour mettre en forme des assertions, je m'appuie essentiellement sur d'autres sources d'informations pour enrichir ma démarche appréhensive du « monde ».

— De quelles sources parlez-vous ?

— Je parle des expressions corporelles et de leurs émanations subtiles. Vois-tu ce jeune homme qui remonte le cours ? Ses yeux sont sombres n'est-ce pas ? Il courbe le dos et lance des regards à droite à gauche comme s'il cherchait son chemin.

— Oui, on dirait qu'il se sent coupable de quelque chose…

— Intéressant ce que tu dis là, et qu'est-ce qui t'a permis d'échafauder cette observation ?

— Je ne sais pas ! C'est une idée qui m'a traversé la tête. Une simple sensation. Il me semble reconnaître dans son attitude quelque chose qui m'est familier.

— Je suis d'accord ! me dit-il en souriant d'une façon complice. Tu es en train de te servir d'éléments qui n'appartiennent pas au langage courant, mais à des souvenirs de sensations qui sont bien vivants en toi. Le corps de cet adolescent nous transmet directement des messages de sa vie privée. Il raconte à ceux qui peuvent l'entendre son histoire en tous lieux et tous moments.

— Oui, c'est étrange ! Je suis incapable d'en expliquer rationnellement le « pourquoi », mais j'ai l'impression que cette personne a souffert de mauvais traitements… Certainement de la part de son paternel.

— C'est une impression que je partage mon jeune ami. Les enfants qui encaissent des coups trop souvent développent un sentiment de culpabilité. Ils finissent par ne plus bien savoir si les corrections sont méritées ou non, bien qu'aucune ne le soit réellement. Celui-là emporte avec lui, au-dessus de sa tête, une menace permanente. A chaque pas qu'il fait, il s'attend à recevoir la réprimande. Tu viens de vérifier par tes propres ressources que le langage silencieux, celui qui parle toujours sincèrement, n'est pas une invention de ma part. N'est-ce pas ?

— Un peu, c'est vrai. Mais dites m'en plus Manter ! Comment avez-vous fait pour apprendre à le décoder ?

— J'ai regardé les gens, pendant des décennies. Lorsque tu remarques une attitude particulière chez une personne que tu côtoies quotidiennement, il y a toujours une possibilité avec le temps de la mettre en rapport avec un processus émotionnel. C'est comme dans ton histoire avec le lion, tu perçois l'intention dans le geste.

— Mais nous sommes tous différents, n'est-ce pas ? Comment attribuer tel ou tel sens à un comportement et ne pas se perdre dans la diversité des vies, des personnalités ?

— Ne disais-tu pas tout à l'heure que les gens avaient tous la même vie ? Nous sommes différents, c'est vrai ! Mais si peu finalement. Pas assez pour que nos « corps » aient développé une langue personnelle. Nous sommes semblables par la nature de nos émotions. Si semblables entre nous, les humains, mais encore si semblables avec nos cousins les animaux qui n'ont pas de difficulté à lire en nous. Ils savent le faire avec une précision extraordinaire, cela implique que notre moyen d'expression inconscient est universel.

— En effet, je me suis souvent demandé comment faisaient les oiseaux pour s'extirper du piège de mes mains lorsque je voulais les rattraper pour les remettre dans leur cage. C'est comme s'ils lisaient dans mes yeux le plan que je développais à leur égard.

Il sourit en écoutant mon récit puis me murmura : « ils lisent en toi comme dans un livre » ! Sur ces mots il se leva, me fit signe de l'attendre sans bouger et de l'observer, puis il marcha vers la petite fontaine qui se dressait au beau milieu du cours Mirabeau. Au sommet du monument il y avait un petit jet d'eau où des pigeons de ville venaient prendre leur douche et s'amuser avec les éclaboussures. Un couple se faisait les yeux doux, habitués au passage des hommes ils ne s'effarouchèrent pas à l'approche de Manter. Une bonne longueur de bras maintenant le séparait des oiseaux qui jetaient des coups d'œil interloqués. Inquiets de cette intrusion ils se contractèrent pour prendre leur envol. Mais ils sous-estimèrent l'homme en choisissant la route de vol qui passait au-dessus de son chapeau. Mon professeur d'Aïkido lança sa main droite et saisit la femelle par en-dessous, ses doigts, comme les serres d'un épervier se refermèrent sur ses pattes. Tout se passa si vite que je n'eus pas le temps d'apprécier la qualité de son geste, pas de bouton « pause » sur ma caméra interne, pas plus de fonction « ralenti ». J'étais épaté. Il la prit entre ses deux mains pour ne pas la blesser car elle donnait de violents coups d'aile pour se libérer. Lorsqu'elle se fut un peu rasséréné, il déposa une caresse sur son crâne et la libéra.

— Quels réflexes ! Lui criai-je lorsqu'il revint s'asseoir près de moi.

— Il ne s'agit pas de réflexes Hervé, s'il est possible de lire les intentions dans nos attitudes, il est également possible de les dissimuler. Alors à ce moment, le temps d'agir s'élargit. Mais la dissimulation n'est pas notre sujet de conversation présent. Cela appartient au domaine du chasseur et de sa proie.

« Le temps d'agir s'élargit », répétai-je en pensant tout haut. Ces mots recelaient sans doute un sens mystérieux. Ils me faisaient penser à une formule magique. J'étais trop impatient pour reporter mon questionnement à un jour plus propice. Je regardai Manter avec une mimique intriguée, comme un enfant devant un pot de confiture dont l'ouverture se refuse à sa poigne fébrile. Lui, figé comme s'il attendait un bus, souriait en jouant avec ma nervosité.

— Oui, le temps. Il y a celui des sabliers et des montres, c'est le temps mécanique. Mais le temps du mouvement de la vie est différent. Il est élastique.

— Comment ça élastique ? Voulez-vous dire que l'on peut étirer les secondes, les rallonger ?

— On peut l'entendre comme cela en effet, mais ce n'est pas précisément ce qui se passe lorsque tu entres dans le temps. L'effet du temps sur toi est variable selon la vitesse de ton propre mouvement d'attention.

— Je ne comprends rien… Qu'entendez-vous par « l'effet du temps », vous parlez du vieillissement ?

« Non ! dit-il en souriant. Il ne s'agit pas de cet effet là. ». Il cherchait dans ses pensées une image pour s'expliquer.

— L'effet du temps rend toute chose fugitive pour ta perception. Tout est en mouvement. Lorsque tu veux saisir une fleur que le vent fouette et fait basculer dans tous les sens, tu te rends compte que tu dois redoubler d'attention pour comprendre mieux son mouvement et adapter le tien en fonction.

Sans doute avais-je une expression ahurie sur le visage parce qu'il prit un nouvel élan. « Le temps est comme un train qui passe. Toi, tu es celui qui le regarde passer sur le quai de la gare. Sur chaque wagon il y a une portion d'un message qui t'est destiné. En raison de sa vitesse, tu ne parviens qu'à lire un élément sur quatre – parfois moins encore – de l'intégrité du message. Comment faire pour en lire davantage ? ».

— La réponse qui me vient, c'est qu'en reculant, mes yeux disposeraient de plus de temps pour déchiffrer ce rébus.

— Exact ! Alors fais-le. Ce jeune homme nous a attendus. Il regarde les bacs de disques dans le magasin en face. Prends le recul nécessaire et dis-moi ce que tu vois.

J'avais du mal à donner un sens pratique à cette formule « prendre du recul ». Il ne s'agissait pas de la distance physique habituelle. Et pourtant, cette distance nécessaire à trouver dans l'espace en soi, dans sa propre chair, semble encore appartenir aux trois dimensions. Je tentai une opération chirurgicale, le scalpel était mes yeux. La main qui le tenait, mon choix arbitraire, décidait de couper virtuellement de petits morceaux d'une gestuelle uniforme. Le premier morceau fut l'angle de ses épaules avec le cou, des épaules qui s'affaissaient. J'en figeai le cliché dans mon esprit et le fis voyager de lui à moi. Comme s'il s'agissait d'une greffe. Je pris ses épaules sur les miennes, les enfilai comme un pardessus. Je sentis mes propres épaules fléchir, comme sous le poids de celles de l'inconnu qui me tournait le dos. Quelque chose se produisait en moi. Des sensations qui m'étaient connues et contre lesquelles je m'étais toujours défendu. Une vague de désespérance monta du bas de mon ventre et emplit toutes les alvéoles pulmonaires. Ma respiration devint difficile. La vision d'un avenir impossible, d'un horizon artificiel se dressait au loin et me cachait toute voie, toute échappatoire. Une colère étouffée mais nourrie par un vent de révolte, une guerre possible, embryonnaire, lovée dans un manque de justice qui étouffe aussi sûrement que le manque d'air. J'étais envahi par une armée de sentiments que j'avais refoulés maintes fois. J'avais su refuser de voir mes épaules s'affaiblir et céder. J'avais eu la chance de trouver cette force en moi. L'étouffement me gagnait, je ne pouvais plus le laisser faire. J'eus un soubresaut, comme si une tarentule était tombée dans mon col. Je me levai d'un bond en m'ébrouant. Un nuage de poussière s'échappa de mon pantalon, un autre de mon esprit. J'avais les joues en feu.

Une angoisse secouait mon être. Je me retournai vers Manter comme un marin tombé à l'eau tend ses bras vers une bouée inespérée, la bouche coincée dans un rictus mêlé de surprise et de douleur. Il me toisait en répétant son geste habituel, main et menton associés dans une danse d'invitation à la parole. Mais j'étais confus encore, il me fallait un peu de temps pour me reconstituer. Rassembler les morceaux. Les identifier, être sûr que je n'allais pas incorporer une parcelle étrangère. Cette expérience empathique fut plus terrifiante qu'une rencontre avec un fantôme dans un vieux manoir. D'une certaine façon, ce sont bien des spectres qui m'ont touché. Ceux d'un passé qui traînait encore derrière moi. Une chaîne et son boulet liés à mes pieds.

La mer est redevenue plus calme. Le vent circulait à nouveau. La tempête s'éloignait. Les tambours dans ma gorge roulaient un tempo familier. « Pourquoi ce genre d'aventures ne m'arrivent-elles que lorsque vous êtes dans les parages ? ». Lui dis-je avec un ton de reproche.

— Parce que lorsque nous sommes ensemble, une dynamique favorable à un plus large état de conscience s'installe. Raconte-moi un peu de ce que tu as vécu, veux-tu ?

— Oui, c'est comme une violation de domicile votre « truc » !

— Ce n'est pas mon « truc » ! C'est de la perception. Tu étais en mesure de percevoir bien avant de me rencontrer. Mais continue je t'en prie.

— Je me suis concentré sur une partie de son corps. C'est comme si je l'avais absorbée en mon propre corps ou alors c'est peut-être que j'ai été aspiré dans le sien. J'ai ressenti immédiatement des sensations physiques, sans pouvoir discerner si elles étaient miennes ou nôtres. Il y avait aussi des pensées, des souvenirs, des images.

— Comme je te l'ai dit, lorsque tu te penches sur la margelle du puits profond qui conduit à l'intériorité d'autrui, c'est en toi que tu peux tomber. User du regard qui perce les apparences, l'accorder à tout ce qui t'entoure, c'est le meilleur moyen de te percer toi-même. Mais c'est quelque chose qui s'apprend. Il faut veiller à ne pas te laisser dominer par les chevaux sauvages qui galopent sur d'autres steppes que les tiennes.

— Mais ce qui m'a touché, était-ce réellement de la dimension de sa vie à lui, ou de la mienne ?

— La terre sur laquelle nous marchons, à qui appartient-elle ? L'air que nous respirons, ne le partageons-nous pas ?

— Vous voulez dire encore que nous sommes faits dans le même bois n'est-ce pas ? Nous sommes les branches d'un même arbre…

— Oui et c'est important de ne pas l'oublier. Toute graine qui prend racine dans le jardin du voisin, fleurit ton propre jardin et vice-versa. La perception non « ordinaire » du vivant nous apporte l'évidence que rien ne nous est réellement étranger.

Manter se leva en m'invitant à le suivre : « Levons-nous, j'ai envie de marcher ».

Heureux de me dégourdir les jambes, je lui emboîtai le pas. Nous remontâmes le cours, puis nous nous engageâmes dans une petite traverse qui conduisait à la place du palais de justice. Je n'avais pas imaginé que nous ferions du lèche-vitrines. Et pourtant nous nous abandonnâmes à cette activité, cela eut pour effet de laisser mon esprit se détendre. Nous errâmes ainsi pendant une petite heure sans échanger un seul mot. Nous nous déplacions à la manière des oiseaux en vol. Un mouvement de la tête suffisait pour nous mettre d'accord sur la direction à prendre, contempler une vitrine, stationner devant un petit groupe de musiciens. Manter ne résistait pas au chant de la flûte et du violon. Son chapeau, sa veste amérindienne multicolore aux teintes ocre et rouge incitaient de nombreux piétons à se retourner sur son passage. Il se dégageait de lui un tel charisme, une si grande énergie, qu'il ne pouvait passer inaperçu. La terrasse abritée d'un café nous tenta, nos regards se croisèrent une seconde. Je poussai la porte et nous nous frayâmes un chemin dans l'atmosphère chaude et enfumée d'une salle comble. La même pensée nous traversa. Après un sourire entendu, nous prîmes place autour d'une table proche de l'entrée. Il commanda un jus de fruit, je décidai de l'imiter. Je voulais lui poser des questions mais il avait investi son attention ailleurs. Son regard se promenait de table en table. Manter investissait le lieu en faisant une approche discrète de tous ses occupants, à la manière du papillon qui virevolte sur chaque fleur du jardin, pour voir s'il reste du nectar à butiner. A la table voisine, il y avait deux femmes qui avaient passé la quarantaine. Elles se ressemblaient assez pour être sœurs. Leur conversation était animée et nous ne pouvions éviter d'en saisir le sujet qui visiblement concernait la personne assise entre elles. C'était une adolescente, elle devait avoir dix-sept ou dix-huit ans, son comportement et ses expressions me troublèrent, cette jeune personne était autiste mais j'ignorai à cette époque ce que cela signifiait. Un acte aussi simple que porter un verre jusqu'à sa bouche présentait des difficultés presque insurmontables. La dame qui se tenait à sa gauche, sans doute sa mère, lui porta assistance. Ce qu'elle fit encore lorsqu'il s'agit de reposer le verre sur la table. Elle saisit la main fine et tordue par les crispations dans ses paumes, ce qui eut pour effet une montée de colère et de cris de protestation.

— Non, non ! Laisse moi t'aider Annie, je ne veux pas que tu casses ce verre !

Et Annie se plaignait par des râles et des pleurs. Annie voulait qu'on la laisse tenter sa chance.

— Tu te rends compte comme c'est difficile ? Dit la maman à la probable tante qui ouvrait des yeux remplis de compassion. C'est comme ça tous les jours, depuis sa naissance, et c'est de plus en plus compliqué ! Et je n'ai aucune aide. Elle ne parle pas, ne fait pas sa toilette toute seule. Il faut l'aider pour tous ses repas. Ne jamais la laisser seule. Je ne sais même pas à quel point elle comprend ce que je lui dis.

Annie grommelait des sons incompréhensibles. Mais il était clair qu'elle manifestait son mécontentement. A quoi était-il dû exactement ? A sa présence dans ce bar bondé de clients agités ? L'incompréhension de ses proches et celle de tous ? Sa vie était simple à imaginer, elle devait se sentir seule au monde. Quand on ne peut communiquer, on reste seul même au milieu de la foule. Tout à coup elle tourna son regard vers nous. Un regard par en-dessous son bras, elle se cachait pour observer les voisins de terrasse. Nous représentions un intérêt, notre présence certainement lui donna une occasion de s'évader un moment de son univers abstrait. Manter la regardait intensément et droit dans les yeux. Je me souviens m'être fait la remarque intérieurement qu'il allait l'effrayer à la fixer ainsi. Mais non ! Annie ne semblait pas dérangée par l'attitude de mon compagnon. Au contraire, petit à petit, elle laissa descendre le bras comme si c'était un bouclier. Sur son visage pas de sourire, pas de crainte non plus, mais une expression d'attente et d'interrogation. Une part de son esprit torturé devait trouver un sens au jeu auquel elle se prêtait. Les deux dames suivaient les évènements avec une tension que je pouvais sentir me gagner, mais elles laissèrent faire la jeune fille. Une récréation, un moment de repos pour la mère, voilà sûrement ce que ce début d'aventure représentait en cet instant.

Manter bougeait ses lèvres en articulant des sons silencieux. Sa bouche dessinait des « OOH », des « AAH » et des « EUH ». Annie l'imitait en reproduisant les mêmes architectures buccales. Ils jouèrent ainsi quelques minutes, puis l'homme ajouta progressivement à son vocabulaire des petits mouvements de doigts que la jeune fille reprenait de son côté. Attentionnée et précise, elle l'imitait à la perfection et chaque fois que l'homme jouait la surprise, une joie montait et remplissait ses yeux. Mon compagnon décida de relever la difficulté du langage. Maintenant, il accomplissait des gestes avec ses deux mains. Il les fixait comme si elles avaient été un papillon voletant et butinant des fleurs. Annie ne manquait pas un détail, ce jeu de communication avec un inconnu l'avait totalement absorbée. Elle quitta sa chaise en plastique et se leva pour donner plus d'aise à ses mouvements. Maintenant, deux papillons voletaient à même hauteur tout en gardant leur distance. Mon enchantement se mêlait d'effarement. Les deux femmes se regardaient l'une l'autre, je voyais leur envie de se pincer pour s'assurer qu'elles ne rêvaient pas. Manter cessa de mimer le papillon et fit descendre ses mains, paumes vers le haut. Quelques personnes parmi les clients du bar observaient la scène. Un silence lourd d'incrédulité les avaient quelque peu statufiés. Annie s'est approchée, elle avait posé ses petites mains dans celles du vieil homme. Aucune autre partie de leur corps ne bougeait, seulement leurs doigts collés aux doigts de l'autre. Une conversation du bout des doigts, faite de caresses presque imperceptibles se déroulait devant nos sens. L'essentiel nous échappait, mais nous étions invités au spectacle, nous, pour qui l'accord entre ses deux êtres se montrait sans que nous puissions en saisir la magie. Pour Annie, une longue nuit de silence s'effaçait devant une aube toute blanche. Le soleil entrait dans sa maison, elle communiquait profondément avec un humain. Un dialogue fait de gestes de la main et de sons si ténus. Pourtant, un dialogue assez puissant pour transformer ses yeux en phares. Combien de temps restèrent-ils plongés dans leur conversation ? Je ne le sais pas. L'atmosphère autour de la scène avait gagné les profondeurs du bar. Le silence avait enveloppé tout le monde, comme si le temps n'existait plus. La maman de la jeune fille avait les larmes aux yeux et n'osait rien faire de peur de briser le charme. Annie décida de passer à l'étape suivante. Elle saisit la main droite de Manter et eut une expression qui semblait signifier « où est-ce qu'on va maintenant, tu m'emmènes hein ? ». Elle se retourna vers sa maman et dans son regard, il y avait comme un « Adieu ».

— Ce que vous venez de faire est très étonnant Monsieur ! Vous m'avez montré un nouveau visage de ma fille et ouvert de nouveaux espoirs et surtout la certitude qu'il est possible d'avancer dans ma relation à elle. Pour tout cela, je vous dis grand merci. Dit-elle en se levant la main tendue vers Manter.

— Ne perdez pas courage Madame, un enfant autiste recèle des trésors de sensibilité. C'est difficile de dire cela mais… vous pourrez trouver de grandes richesses dans votre maison. Parlez-lui, laissez-la vous dire son histoire. Inventez un nouveau langage.

— J'aurais tant besoin d'aide Monsieur, pourrait-on se revoir ? Êtes-vous une sorte de thérapeute ?

Manter lui adressa un large sourire. « Non Madame, je ne suis pas un thérapeute. Je suis désolé mais j'aurai de grandes difficultés pour trouver le temps de vous aider davantage ». La dame ne cachait pas sa déception mais n'insista pas.

— Tu viens Annie ? Laisse le monsieur maintenant, nous devons rentrer à la maison.

L'adolescente s'accrochait à la main de l'homme qui savait « parler », elle n'était visiblement pas d'accord avec cette idée-là. Lorsque sa mère lui prit le bras, elle se débattit et pleura. Avec ses mots à elle, avec son visage et surtout sa bouche qu'elle tordait, elle criait qu'elle ne voulait pas qu'on la sépare de ce monsieur, qu'elle voulait le suivre parce que lui, savait parler, qu'elle pouvait l'entendre. Elle se retrouva assise sur le sol, la main de l'homme toujours bien tenue dans les siennes, il s'abaissa jusqu'à ce que ses yeux soient à la hauteur de ceux d'Annie. Elle savait sûrement ce qu'il allait lui dire, cela, elle ne voulait pas l'entendre, mais elle laissa ses yeux mouillés de larmes bien ouverts. Avec des gestes d'une grande douceur, le vieil homme réclama qu'elle lui rende sa main captive. Elle le fit en desserrant un après l'autre ses doigts fins. Manter se lança dans un discours composé dans une langue faite sur mesure. Nous étions silencieux autour d'eux, perplexes aussi. Nous pouvions imaginer le contenu de son laïus, mais tous les détails et les couleurs nous échappaient. Nous ne remplissions pas les conditions pour recevoir le message intégralement.

Annie finit par accepter, elle se releva, nous tourna le dos. La maman lui essuya les yeux avec une serviette en papier et l'embrassa en la prenant dans ses bras. Nous fîmes un petit salut de la main à toute la famille en refermant la porte du bar derrière nous. La rue nous attendait, avec ses nombreux bancs publics, ses petites boutiques et ses musiciens de trottoir.

Nous marchions en silence depuis une demi-heure. Mon sage ami semblait trop plongé dans ses pensées pour que j'osasse le questionner. Je devais étrangler ma curiosité et mon impatience, « j'attendrai le bon moment. Je trépignai.

Le tour du centre ville me parut long ce jour-là. Nous étions revenus à notre point de départ. Mon compagnon semblait toujours « ailleurs », comme s'il avait oublié ma compagnie. Sa proposition me surprit donc. « Reposons-nous un peu, veux-tu ? ». D'un commun accord, nous nous assîmes sur le banc resté inoccupé. Mon impatience eut raison du lien qui la tenait prisonnière, elle s'échappa d'une manière effrontée.

— Comment avez-vous fait tout cela ?

— Comment j'ai fait quoi ?

— Vous savez bien de quoi je veux parler ! Lui-dis-je le ton rieur.

— Ta question est imprécise, ce « tout cela » est-il trop large pour que tu me dises exactement quelles explications tu attends de moi ?

— J'ai bien vu que vous avez parlé avec Annie. Mais par quel miracle comprenait-elle ce que vous lui disiez ?

— C’est toujours la même opération. Celle du cœur ouvert. Si le cœur n’y est pas, le langage reste creux. Je n’ai rien fait d’autre que ce que tu as fait toi-même avec le fauve dont tu m’as parlé. C’est d’une grande simplicité, inutile de croire à une autre magie.

— Je reste un peu dans le doute à vous entendre. Sa mère aurait-elle manqué de cœur avec sa fille ? Je suis sûr qu’elle l’aime beaucoup !

— Nous ne parlons pas du même cœur, tu es en train d’évoquer des sentiments d’affections. Je ne te parlai pas de cela.

Sa réponse me laissa bouche bée. Si les « affaires » du cœur n’avaient pas de rapport avec l’affection, je ne comprenais plus rien. Il me laissa patauger dans ma mare de confusion. Manter tenait sa baguette de chef d’orchestre avec habileté. Il battait la mesure de ses mots et me laissait le temps nécessaire pour les ruminer un peu. Sans me perdre de vue, il savait très exactement quand m’interrompre dans mes réflexions et reprendre son discours. J’avais l’impression dans ces moments là que ma respiration était sous son contrôle.

— Dans cette situation, les sentiments affectifs sont souvent un obstacle. Que sont-ils d’ailleurs selon toi ?

Qu’étaient-ils pour moi ? Je pensai à mes frères et sœur. A mon chien, qu’un anonyme avait tué d’un coup de fusil. Nous nous étions rencontrés sur la route, il trottait sur le bas-côté remontant vers la campagne et moi je descendais vers les maisons. C’était un chien sans maison, sans collier, sans peur. Un gros chien bâtard de trente kilos aux couleurs de Berger Allemand. La rencontre d’un jour triste, celle qui compte dans la vie d’un jeune homme qui ne sait plus se confier, ni partager avec ses proches. Il serait passé à mes côtés comme si je n’existais pas si je ne lui avais adressé la parole. Notre amitié dura une année, je n'ai jamais été son maître. Sam ne savait céder devant personne. Libre il était.

J'étais fou de rage lorsque je l'ai retrouvé au milieu de la décharge des détritus du village. Un trou noir au milieu du front, un troisième œil dont il n'avait aucun besoin. En cette minute j'aurais été capable de tuer le coupable. Sont-ce là les sentiments d'affection ? Ne pas concevoir la disparition de celui que l'on aime. Souhaiter de toutes ses forces qu'il ne lui arrive rien de mauvais ? C'est tout ce que je connaissais de l'amour des hommes, je savais bien que les animaux éprouvaient les mêmes sentiments. Sam l'a montré bien des fois au péril de sa vie.

— Essayez-vous de me dire que tout ce qui constitue notre attachement, ce n'est pas du cœur ?

— On n'attache que les corps, sais-tu ? Le cœur dont je parle est tout esprit. Aucune boîte ne peut le contenir. Lorsque tu ouvres ce cœur, c'est l'univers qui entre. Tu deviens un canal, tu ne te meus plus, tu es mû.

— Comme je voudrais être capable d'entendre ce que vous dîtes. Je sens la beauté que vous me soufflez, je la sens, mais ne peux la voir. Lui dis-je, coupé en deux par la joie et la tristesse.

Il sourit et chuchota : « ça viendra mon jeune ami, ça viendra ! ».

— Mais ce cœur, comment faites-vous pour l'ouvrir ?

— Tu veux que je te dise ou que je te montre ?

— Oh… Faites comme bon vous semble ! Lui dis-je l'air embarrassé. Je suis prêt à tout avec vous.

Il se plaça face à moi en pivotant sur son assise, je l'imitai. Ses mains posées sur ses genoux il ferma les yeux. Je regardai sa poitrine absorbée dans les cycles d'une respiration régulière et douce. Des pensées se donnaient la main pour une farandole sous mon cuir chevelu. Une forte musique de cuivres faisait battre le tempo dans mes tempes. Je décidai qu'il me fallait me concentrer sur la respiration de mon vieil ami. Un phénomène inexplicable se produisit. Je ne m'en rendis pas compte tout de suite, mes pensées s'étaient endormies. Plus de fanfare dans ma tête. Où s'en étaient donc allés les « danseurs » ? Je respirais. Non pas « je », mais « ça » respirait. Mon souffle s'était mis en accord avec celui de Manter. Nos poumons partageaient le même air. Quand les siens se vidaient, ils remplissaient les miens. J'entendais battre deux cœurs dans ma poitrine, ou était-ce le mien qui se dédoublait ? Non, il y avait bien deux cœurs qui se parlaient en moi. Des sensations fortes et étranges parcouraient tout mon corps. Un silence qui nous enfermait dans sa bulle, nous coupant de toutes les formes extérieures, ouvrait le chemin d'une expérience extraordinaire. Une énergie indescriptible avait rapproché une dimension de nos corps et les mettait en relation intime. Comme si le même sang circulait en nous. Je compris très nettement à ce moment-là, quelle est cette illusion de « donner » qui réside dans nos « sentiments d'amour ».

Chapitre 5.
Le jeu des mots

Ils ont empoisonné l'eau sacrée de leur lubricité et lorsqu'ils baptisèrent du nom de plaisir leurs rêves malpropres, ils ont même empoisonné les mots.

F. Nietzsche

Et un matin se leva
L'astre de feu semblable à lui-même
Quelque chose avait changé
C'était encore insaisissable
Les mots n'étaient plus comme les pierres
Lourds et denses et stables
Sur lesquels on bâtissait nos citadelles
Non, maintenant, ils étaient comme des calebasses
Quand je les touchais de la langue
Un son creux et noir s'échappait de leur ventre
Rampant comme une vipère.

Février mille neuf cent soixante-treize. Le soleil se lève dans un horizon bleu froid. Les champs ne parviennent à montrer leur parure verte, une gelée blanche et serrée recouvre tout. Seuls les rares amandiers ont osé défier les froidures de janvier. Alors que tous leurs cousins « branchés » ressemblent encore à des spectres statufiés, eux, resplendissent des mille lumières de leurs fleurs roses et blanches. Un amandier, ça n'a peur de rien. Que le vent souffle que le froid raidisse plantes et arbustes, ce n'est pas leur affaire. Lorsqu'ils ont décidé qu'il était temps pour eux de séduire, ils lâchent leurs fragrances, leurs chiens d'amour, aux vents et insectes qui se chargent de convoyer leurs semences.

Ce matin de Février, je décidai de retourner sur la crête du Pilon du roi. Je quittai le foyer vers dix heures, après avoir préparé mon petit sac à dos que je remplis de gâteaux cuisinés par ma mère et de fruits secs. Si je ne retrouvais pas Manter, j'avais décidé de passer la journée dans la solitude que m'offrait la montagne. J'empruntai mon itinéraire favori, à travers les bois jusqu'au-dessus de Simiane et ensuite le petit sentier pittoresque qui serpente. Je n'ai jamais croisé personne sur cette voie, excepté deux ou trois serpents. C'était un chemin de chasseurs. Notre point de rendez-vous habituel atteint, je choisis un rocher assez large pour me protéger du vent glacial. Face au soleil, les conditions étaient presque agréables. Mon attente et mes espoirs ne furent pas vains. Il arriva, fidèle à son heure coutumière. Je me levai dès que je l'aperçus et marchai rapidement au-devant de lui pour le saluer. Le sourire que je lui connaissais éclairait son visage, mon enthousiasme enfantin l'amusait certainement. Tout en marchant, nous nous racontâmes mutuellement les histoires de notre vie écoulée ces derniers mois. Il me proposa de continuer notre promenade jusqu'à un bosquet de pins et de chênes verts.

La dernière journée passée en sa compagnie, dans cette ville qui fut la seule cité où je me sentis chez moi, produisit une véritable révolution dans mes concepts. Les mots comme « communication, amour, don, partage, sentiment, affection » subirent une secousse qui les dépoussiéra considérablement. Durant cet hiver de mille neuf cent soixante douze, il me fut impossible de le revoir. Il ne se présentait plus sur les sommets de la chaîne montagneuse. De mon côté je n'eus pas de nombreuses occasions d'y retourner flâner. Ces mois d'hiver, je les consacrai à la méditation sur les évènements intenses survenus durant cette journée inoubliable. Je posai mes réflexions sur papier, j'avais besoin de procéder méthodiquement. Je traçai une ligne verticale qui séparait la feuille en deux colonnes. Sur la partie gauche je notai les mots « Sentiment, Affection, Attachement ». La colonne de droite portait en titre, « Don, Cœur, Partage, Expériences avec Manter ».

Tout ce que je croyais savoir, ce que l'on m'avait enseigné. Ces notions attachées à des termes, et ces mêmes notions qui engendraient tout un programme d'action. Un système de relation et davantage encore, un complexe de lien affectif. Car le lien n'est pas la relation, qui elle, est fondée sur des conventions. Tout cela chancelait et menaçait de tomber dans le vide. De ce vide émergeait une montagne flottante, comme c'est le cas pour les icebergs ; je savais, je sentais au plus profond de moi que ce que j'en voyais, ce que j'en touchais ne concernait que la partie visible.

Je connaissais les sentiments de l'attachement. En leur nom et par eux, que de souffrances avais-je dû affronter.

Comme tout le monde, je ne mettais pas en doute ma sincérité ; lorsqu'au nom de mon amour déclaré, je m'accordai des droits sur l'objet aimé. Ces droits bien évidemment étaient censés compenser les devoirs qui échoient toujours dans ce type de relation. J'entendais des dialogues, ils se présentaient à moi, au cœur de mes réflexions : « Puisque je t'aime, n'ai-je pas l'autorisation de désirer te changer ? De vouloir t'aider à devenir autre ou meilleure ? Puisqu'au fond cela te rendra plus aimable encore. Parce que tu acceptes de recevoir cet amour, dont tu avoues qu'il t'apporte — sans bien savoir signifier ce qu'il t'apporte — et puisque je suis le généreux donateur… » Une voix off intervint et dit d'un ton chargé d'ironie : « c'est fou comme on se sent toujours généreux dans cet « amour » qu'on impose à l'autre pour son plus grand bien… ».

Ce sage ne parlait pas de sentiments, il « agissait amour ». Ses actes ne transpiraient aucune attitude intérieure teintée d'affectif. Je croyais tenir là une contradiction en lui, je sais aujourd'hui qu'il s'agit d'un paradoxe. Là où la contradiction annule et condamne les portes, le paradoxe lui, les montre et se fait clé. Son détachement était net et tranchant, toute personne le sentait immédiatement. Son amour libérait, son partage multipliait. « Ce que tu fais de plus noble, ignore-le ». Des mots comme ceux-ci exigèrent de moi beaucoup d'attention et de patience. Ou encore : « Dans l'instant où tu donnes, s'il te vient à le savoir, sache que tu reprendras ». « Vous êtes en train de me parler du non-agir même dans l'amour, n'est-ce pas ? ». Il sourit et répondit :

« ce que tu fais, ne le fais pas ». Des mots prononcés avec une douceur si grande que le silence envahissait mon être tout entier. Mes pieds ne touchaient plus le sol, j'étais assis sur un tapis volant. La pesanteur s'évanouissait sous le charme de sa personne. Non pas le charme qui séduit, mais celui qui élève.

— J'aimerais que nous parlions de quelques mots puisés dans votre vocabulaire. Ce que j'ai vécu cette dernière journée où nous nous sommes vus, m'a entraîné à reposer sur la « table » certaines notions. J'ai l'impression que de nombreux termes, et certains actes, n'ont pas les mêmes significations pour vous. Est-ce que je me trompe ?

— Tu ne te trompes pas mon garçon. C'est le moins qu'on puisse dire. Je te propose un jeu. Il commence aujourd'hui, il finira un autre jour.

— Un jeu ? Je veux bien ! Quelles sont les règles ?

— Elles sont très simples, tu choisis un premier terme dans la liste de ces mots qui te tourmentent. Tu me racontes ce qu'il t'évoque, je ferai de même.

Sa proposition avait tout pour me séduire, je m'empressai de lui répondre : « D'accord ! Le premier mot est « aimer ».

Mon empressement et sans doute mon choix le firent sourire. En souriant il me jeta sur un ton d'humour : « je t'écoute me parler d'aimer ! »

— Il me semble qu'il y a des personnes que j'aime depuis toujours. Je veux parler de mes frères et de ma sœur. Il y a aussi celles que je rencontre dans un instant furtif, dans le train ou que je croise dans la rue. Ce sont des amours éphémères celles-là. J'ai aimé beaucoup d'animaux et leurs pertes m'a produit de grands chagrins.

— Certes, mais tu ne me dis pas ce que tu fais, ou ce qui se passe en toi lorsque tu aimes.

— Oui, c'est le plus difficile ça… Je crois que je ressens un bien-être lorsque je les vois. Je n'aimerais pas qu'il leur arrive quelque chose de fâcheux. En fait, je suis heureux de les savoir en paix et je suis blessé si un « mal » les touche. Je me rends disponible pour ceux que j'aime.

S'il arrive qu'ils aient besoin de moi d'une façon ou d'une autre, je réponds : présent !

— Ton amour les nourrit-il ? Sens-tu qu'il te nourrit toi ?

— Je pense qu'ils sont heureux de se sentir aimés bien-sûr !

L'attention que l'on nous porte nous procure un bien-être c'est évident !

— Sans doute Hervé, mais je crois que cette forme d'amour est une richesse surtout pour celui qui le pratique. Qu'en penses-tu ?

— Vous me demandez si je suis celui qui gagne le plus à aimer, c'est cela ? D'un signe de tête affirmatif, il m'invitait à continuer. Je ne saurais pas vous répondre clairement aujourd'hui sur ce point. Si celui qui offre d'aimer satisfait tout d'abord un besoin personnel, c'est que l'amour est un acte égoïste.

— Crois-tu avoir aimé sans espérer aucune forme de retour ? L'amour égoïste est la première facette de l'amour. C'est sa forme naturelle, animale. C'est égoïste parce que c'est un investissement. C'est à dire, qu'il y a toujours une attente de bénéfices. C'est la définition du mot « investissement ».

— Je reconnais que j'ai du mal à entrevoir cet acte sans réciprocité, sans retour, comme vous dites. Que serait cet amour si je l'offrais à quelqu'un qui n'en ressent aucune joie ni bienfait, ou qui n'en veut pas ?

— Il serait encore une source de nourriture pour toi. Mais tu parles à nouveau d'affectivité. L'affection est comme un aliment pour le corps et l'esprit. Dans ce mouvement qui offre l'affection à autrui, que sais-tu ressentir ? Ne réponds pas tout de suite, attends, plonge dans ton ressentiment. Plonge en toi et dans ton souvenir d'aimer.

Les sentiments que j'éprouvais pour Manter étaient à la portée de l'instant. Je n'allais pas chercher un autre terrain d'exploration. Je pris mon souffle comme si je plongeais en apnée. Je descendis au-dedans de moi, comme dans un puits. Définir ou décrire un sentiment n'est pas une affaire simple. Tout en bas, mes pieds touchaient une marre d'huile opaque et trompeuse. Un couloir s'étendait devant mes yeux. Je m'y engageai. Au fond, il y avait un écriteau accroché à un clou figé dans une porte, je savais devoir me diriger vers lui. Les mots : « Amour — Affection » étaient peints en rouge. Je poussai sur la poignée, elle s'ouvrit sur une autre porte, un écriteau identique affichait les mêmes termes. La scène se répéta dix fois, chaque battant ouvert me plaçait devant une nouvelle et semblable porte. Soudain j'eus l'idée de retourner le panneau sur lui-même. Il y avait aussi quelque chose de peint sur l'autre face, mais en blanc. Le mot : « Espérance ». Elle m'éclata à la figure. Je vis que chacun de mes sentiments était au service d'une espérance. L'aimer parce qu'il est celui qui me donnera son attention. L'aimer parce qu'il me trouvera méritant du temps qu'il me consacre. Parce qu'il me permet de croire en moi-même. Etc. La somme de mes élans affectifs, portait en son sac mystérieux, tous les remerciements par anticipation, toute la gratitude ressentie dans le secret des profondeurs de mon être, pour tout ce qu'il m'accordait d'espoirs en « devenir ».

— Je crois que j'ai saisi ce que vous voulez me faire voir ! Alors vous, que faites-vous lorsque vous aimez ?

— Aimer c'est donner, non pas donner de soi à l'autre, mais lui permettre de se donner à lui-même. Aimer c'est libérer. Nos relations sont des chaînes. En premier lieu, je n'investis pas. Je n'attends rien d'autrui.

— Mais à quoi peut ressembler un amour qui n'attend rien, ne projette rien, et n'a besoin de rien ?

— Te semble t-il que j'attende quelque chose de toi ?

— Et bien, je l'espérais sans doute un peu oui !

— Ah bon ! Et que suis-je censé attendre ?

— J'imagine que tout ce temps que vous me donnez, ce travail que vous faites ; car il s'agit bien d'un travail ! Vous espérez bien qu'il change ma vie. Et il la changera forcément, puisqu'en changeant le plus petit point de vue, c'est tout le regard qui est différent.

— Il se peut que ta vie en soit plus apaisée, le contraire aussi se peut. Vouloir l'un ou l'autre, ce serait comme jouer aux dés l'effet de ma compréhension de la vie sur ta personne. Non, je te raconte mes histoires avec la plus grande sincérité dont je suis capable. Je ne l'ai pas voulu, je ne l'ai pas refusé non plus. Ce qu'il adviendra de nos échanges ne me concerne pas.

— Ne faites-vous aucune estimation de mes aptitudes ou de mes moyens ?

— Il faut savoir que ce que nous aimons, c'est la représentation que l'on se fait d'une personne. Quand cette personne désobéit à notre représentation, elle commence à nous déplaire. Dans ce cas, ou nous sommes capables de restaurer notre représentation et notre amour survit, ou nous ne le sommes pas et nous n'aimons plus.

— Vous êtes en train de dire que nous décidons d'aimer, est-ce vrai dans tous les cas ?

— Oui, nous le décidons sans en avoir une conscience claire, mais nous le décidons. Comme nous décidons de ne plus aimer. Nous choisissons nos têtes… En second lieu, aimer c'est accepter que toute chose est aimable telle qu'elle est. Parce que c'est au-delà de ce qu'elle est ou de ce que tu crois voir d'elle qu'il y a quelque chose d'aimable. En ce cas, aimer n'est plus une simple question de sentiments. C'est un acte de reconnaissance, de respect envers la beauté ineffable du monde. Il nous faut accepter ce passant, cet étranger ou ce criminel, même celui-là qui vient planter sa dague en notre cœur. Car au bout de son arme, de sa main, de son bras, de son cœur, il y a ton arme, ta main, ton cœur. Aimer, c'est se souvenir qu'il n'y a pas de séparation entre les êtres vivants. Nous baignons tous dans la même eau. Elle est notre liant. Aimer, c'est se souvenir… répéta t-il pour me permettre de graver ses derniers mots.

Son explication sur les sentiments me ramena à ma relation avec les chevaux. Depuis peu, j'avais découvert l'équitation dans un ranch de la région, cette activité était en train de se transformer en passion. Ce n'était pas tant le fait de monter à cheval qui m'attira tout d'abord, mais surtout leur approche que je pratiquais en suivant le fil de mes expériences de l'apprivoisement. Je déplorais les manières qui avaient cours dans ce milieu, l'animal me semblait coincé entre la carotte et le bâton, quelque chose de profond me gênait dans cette relation. Je rêvais moi, d'une sincère amitié, j'espérais installer un état de confiance qui nous permettrait un réel travail d'équipe où chacun puisse conserver son indépendance d'être. J'évitai donc de me retrouver dans cette situation de devoir réprimer ou promettre afin d'obtenir l'obéissance du cheval que je louais dans ce club. Ma technique reposait sur la caresse et la conversation, ce qui ne manquait pas de produire rires et ironies de la part des patrons du ranch ainsi que des quelques particuliers qui fréquentaient le lieu. Je dois admettre que les résultats n'étaient pas flagrants, les chevaux semblaient interpréter mon attitude comme de la faiblesse et ne manquaient pas d'en profiter en montrant peu d'égard vis à vis de mes choix. Le point de vue de Manter sur l'apprivoisement et sur la réalité de la relation que les hommes établissent avec ces animaux que sont les chevaux m'intéressait. Je lui posai la question en lui développant tout ce que j'en pensais et en me référant à un texte de St Exupéry, tout particulièrement celui du renard et du « petit prince ».

— Mon cher ami, ce que tu appelles « l'apprivoisement », ou ce qui est montré dans ce texte du « petit prince », c'est tout simplement une forme de dénaturation de l'animal camouflée sous le costume de l'affectif, du « bon sentiment ». L'argument défendant prétend instaurer une relation amicale sincère avec cet être sauvage, et la justification se veut toute puissante. Dans les faits, la trame qui est mise en place consiste à faire perdre ses repères au sujet, à le persuader qu'il est dans son propre intérêt d'attendre une aide quelconque ou une protection de la part de l'homme. Ce conditionnement est pervers car il promet en effet cette assistance et protection, mais loin de l'apporter il affaiblit l'animal ou l'homme, le coupant de ses liens naturels et de ses « savoir-faire ».

— Vous dites l'animal ou l'homme ? Pourquoi ?
— Parce que l'homme moderne a pratiqué avec bien des ethnies primitives ce que je suis en train de dénoncer. Pénétrer le territoire sauvage, les mains pleines de cadeaux reluisants, la bouche pleine de promesses. Nous les avons déracinés, expatriés et abandonnés sans ressource. Plus un être est bousculé hors de son territoire, hors de ses coutumes, et plus il perd le contact avec les forces qui lui donnent sa liberté d'exister. Tu vois, selon moi toute tentative d'apprivoisement se conclut par une désertification de l'âme, un esseulement profond et fatal. Parce qu'il est possible de mourir avant de cesser de respirer ou de s'alimenter. La mort, c'est avant tout, rompre le lien des traditions, des connaissances que nos parents nous transmettent, c'est aussi rompre le lien avec le milieu qui nous a vu entrer dans ce monde. Par exemple, sais-tu que les sujets dérobés à leurs parents dans la première période de leur vie, sont condamnés à l'ignorance des termes essentiels d'un langage. Ils ignorent le moyen d'entrer en communication avec les individus sauvages de leur espèce. Lorsqu'ils se trouvent par chance en contact avec ceux-ci, ils s'identifient à eux par quelques détails grossiers qu'ils ont en commun. Mais les sujets qui n'ont pas

quitté leur milieu naturel les regardent avec inquiétude, ne comprenant pas leur langage ni leurs manières. Ils sont alors perçus comme des individus malades et dangereux, des frères qui ont perdu le « bon sens » et qu'il vaut mieux éviter. Ainsi ils errent entre deux mondes, rarement très longtemps car ils sont peu aptes à survivre sans l'assistance de ceux qui les ont dénaturés.

— Je suis obligé de reconnaître dans vos mots, une part de la vérité qui doit dormir en moi mais que je sens remuer de temps en temps. Que pensez-vous de ce que nous faisons avec les animaux dits domestiques, nos chiens et nos chats etc. Ou plus particulièrement de cette activité que l'on appelle l'équitation ?

— Les chiens et les chats ? Lança t-il en riant, il est souvent plus facile d'exprimer nos besoins affectifs à ces pauvres bêtes qu'à nos semblables. De leur exprimer d'ailleurs tout ce qui nous passe par la tête, tous nos états d'âme. Ils endurent en silence et nous pardonnent généralement, ils ont trop besoin de nous également pour ne pas pardonner. Nous sommes sereinement assis sur leur soi-disant fidélité qui nous honore. Car s'ils nous sont fidèles, c'est que nous valons quelque chose. Les hommes cherchent toujours dans les yeux de ceux qu'ils prétendent aimer le signe de leur valeur. Ces animaux sont prompts à nous manifester le prix de notre existence. Et ce prix est à mettre en parallèle avec le volume de notre réfrigérateur. Les sentiments des êtres vivants sont toujours plus ou moins reliés à l'estomac.

— Je vous trouve un peu sévère là, dis-je en souriant, mais sans doute est-ce vous qui voyez clair dans tout ce fatras…

— Quand à cette affaire d'art équestre, assis-toi bien avant, cette pierre fera bien l'affaire.

Un petit rocher plat émergeait de terre et s'élevait d'au moins quarante centimètres au-dessus du sol, la nature offrait un banc aux randonneurs fatigués de leur marche.

Nous nous y installâmes et mon compagnon reprit son discours analytique, le fil ne semblait pas s'être interrompu dans ses pensées.

— Le cheval comme n'importe quel autre animal ne devrait pas être utilisé comme une machine, reprit-il du même élan. L'animal n'est pas un jouet, ou l'objet de notre plaisir ou de notre « désennui ». Ce qui est pire encore, c'est qu'il serve de socle à notre suffisance. Une sorte d'estrade de laquelle nous espérons briller plus loin. Il n'y a pas d'art équestre. L'art est autre chose qu'une mascarade visant à nous faire gonfler d'orgueil.

— Mais si la relation avec un cheval permet de travailler cette suffisance comme vous dites... Un moyen parmi tant d'autres de développer l'art de la communication, celle à laquelle vous semblez tant attaché, ne pourrait-on y voir là un mobile noble ?

— Un mobile ? Et qu'en pense le cheval ?

— Et bien... j'imaginais une relation possible dans la réciprocité. Qu'il n'y ait pas de perdant, que chacun trouve la joie de la découverte d'un trésor inestimable.

— Et qu'aurais-tu à proposer qui lui semble suffisamment intéressant pour se prêter à tous ces exercices ?

— Je ne sais pas encore, j'ose rêver à cette image du centaure. Peut-être n'est-ce qu'une utopie. En ce moment je lis un livre de Konrad Lorenz, c'est un homme qui a étudié le comportement des animaux...

— Je connais Konrad Lorenz, m'interrompit-il, j'ai lu également ces textes sur l'éthologie, je devine le chemin que tu essaies de découvrir avec ta question sur l'équitation. Mais sache que l'étude du comportement animal et de sa psychologie, comportera toujours quelques erreurs d'observation si celle-ci n'est pas appliquée dans des conditions et un environnement naturels. Nous ne pouvons pas tirer des conclusions universelles à partir d'éléments recensés chez des sujets subissant depuis plusieurs générations l'influence humaine.

— J'ai entendu parler de certains hommes qui obtenaient des résultats fulgurants avec une méthode qu'ils prétendent inspirée de cette connaissance du comportement. Ils semblent se faire obéir en douceur, sans objets ni gestes brutaux, abandonnant tout équipement tels que mors et bride et…

— La violence sait se cacher à l'intérieur du gant le plus doux, elle n'est pas seulement physique. Tout acte ayant pour résultat la dénaturation d'un sujet est d'une grande violence. Si ce que tu proposes à l'animal ne l'amène pas à découvrir une autre dimension de lui-même, si ton entreprise ne lui offre pas une liberté accrue qu'il consente à épouser, alors ton projet n'est rien d'autre qu'une violence nouvelle servant le même résultat. L'asservissement physique et mental.

— Vous croyez donc qu'un passage existe, mais qu'il est ardu de le trouver. Pouvez-vous me donner une indication plus précise, dans quelle direction dois-je chercher ?

— Tu dois travailler sur toi-même tout d'abord, il n'existe aucune autre étape avant. Mirer tes intentions comme l'on regarde au travers de la coquille d'un œuf. Rendre ton ego transparent. Il ne peut exister d'approche éthologique si cette étape est omise. La première information qui touchera ton cheval concerne ce que tu es, comment et pourquoi tu viens à lui, et ce que tu lui veux. Souviens-toi que le but ne peut être une tentative de te valoriser d'aucune manière que ce soit. Après cette étape, tu dois affiner ta perception, afin de connaître réellement l'être avec qui tu tentes l'expérience, ses craintes, ses tensions, ses limites, ne doivent pas t'échapper et cela en temps réel. Chaque instant, tu dois être en mesure de toucher l'état et la disposition de l'animal, sa capacité à te recevoir ou son « vouloir entendre ». Ensuite, tu dois avoir appris son langage le plus finement possible. Car si tu t'adresses à lui d'une manière incorrecte, tu ne sauras jamais obtenir le niveau de confiance nécessaire à l'entreprise que tu t'es fixée. L'acquisition de ces « savoir-faire » et leur démonstration amèneront ton cheval à reconsidérer ton discours et ton action, tu obtiendras le vrai respect, non celui qui repose sur la crainte, mais celui que la reconnaissance inspire. La reconnaissance de l'autre passe par l'expression d'un langage clair et commun.

Le vent s'était calmé sur la montagne du pilon. La douceur des rayons de soleil de février berçait mes réflexions. Le dictionnaire personnel de mon jardinier-professeur d'Aïkido promettait des voyages dans des contrées qui m'étaient inconnues. Il dessinait à l'horizon des paysages de rêve. Les mots, ceux que j'utilisais, comme les utilisait le reste de l'humanité, ne m'avaient délivré que leur aspect horizontal. Mon étrange compagnon ajoutait une troisième dimension, et l'ensemble se montrait plus complexe, il gonflait d'un volume qui m'enveloppait.

« J'ai un autre mot, lui dis-je avec enthousiasme, si vous me permettez ? ».

— Je permets, nous avons tout le temps. Ce jeu semble te plaire, n'est-ce pas ?

— Oui, beaucoup ! J'aimerais que l'on parle du mot « partage ». Quand nous conversons, vous et moi, ou d'une manière générale toute conversation, je crois que c'est du partage. Quand j'éprouve de la compassion pour celui qui souffre également. Et bien entendu si je partage mon repas avec celui qui a faim, ou l'ami qui passe. C'est bien cela que l'on appelle le « partage », n'est-ce pas ?

— Converser avec autrui, c'est échanger des idées, des informations, et parfois c'est tenter de convaincre. Quand bien même ce serait se confier ou raconter des histoires secrètes. Je ne vois pas là un acte de partage. Echanger n'est pas partager, c'est rendre commun. Eprouver de la compassion, c'est s'associer, souffrir avec. Cette attitude parvient parfois à amoindrir la souffrance morale, parce que souffrir seul est un mal qui se rajoute. L'ennui, c'est que l'on multiplie le nombre de ceux qui souffrent. Le partage, selon ma manière personnelle d'entendre les mots, et ce qu'ils sont censés désigner, ce n'est pas une multiplication d'un « mal ». J'emploie ici le mot « mal » pour signifier l'absence de solution ou l'application de fausses solutions. Partager son pain signifie qu'on le sépare, on réduit sa part en créant d'autres portions plus petites. C'est encore une division, ce n'est pas de cette oreille que j'entends ce terme.

— Mais si rendre commun n'est pas du partage, qu'est-ce donc que partager selon vous ?

— Une action qui multiplie le « bien » dans tous les cas. Exactement comme la rencontre de la semence et de la terre. Nous naissons tous d'un partage. La relation qui unit les êtres vivants propose les différents arrangements arithmétiques que tu connais sous la forme des quatre opérations de base.

— Je ne comprends pas ! De quelle arithmétique me parlez-vous ?

— Je te parle de ce qu'on t'a appris sur les bancs de l'école. Mais tu devais dormir sans doute. L'addition, la soustraction, la division et la multiplication.

— Oh je ne dormais pas toujours ! Dis-je en riant. Si je vous suis bien, partager le pain, correspond à la division, c'est bien cela ?

— En effet, tu m'as bien compris, et la compassion est une addition.

— Selon ce que vous dites, le résultat d'une rencontre dans le partage engendre un phénomène qui dépasse, tout en contenant, les parties premières. Nos échanges verbaux appartiennent-ils à ce que vous appelez un « échange ».

— Tout à fait ! Seules certaines expériences que nous avons vécues ensemble et qui ne dépendent pas seulement des mots sont à mettre dans la catégorie qui multiplie.

— Alors, peut-on signifier ce qui est né de ces instants multiplicateurs ?

— La conscience, cher ami, et la conscience est de la vie. Mais il est sans doute un peu trop tôt pour en dire plus à ce jour.

— La conscience ? Voilà encore un terme que je dois vous soumettre. J'ai une forte impression qu'on ne nous enseigne pas grand chose d'utile sur ce mot. Dans notre société, n'est-il pas utilisé sous des sens variés ? Dans le moment où j'entends prononcer ce vocable, je ne suis jamais certain de l'entendre de la bonne façon.

— Et bien raconte moi, je t'écoute. Que sais-tu de la conscience ?

— Je ne vois que deux cas d'utilisation de ce mot. Le premier est associé à la morale, avoir bonne ou mauvaise conscience. C'est éprouver du remord ou non pour une action que l'on a produite. Je suppose que les références sont uniquement culturelles. Nietzsche disait que la mauvaise conscience est une ennemie des instincts. En quelque sorte, selon lui elle ferait de nous des handicapés de ce monde. Dans le second cas, j'utilise l'expression : « prendre conscience » ou « n'avoir pas conscience de… ». Ici, je pense qu'il est question de l'espace de la pensée. Comprendre, réaliser, c'est intégrer une information plus clairement, n'est-ce pas ? Cela ressemble à la traversée d'un brouillard. Ajoutai-je, peu sûr de ma prestation.

— Le remord et l'autosatisfaction sont produits par notre juge intérieur. L'acquisition de la morale missionne notre esprit, elle en fait une arme tournée contre lui-même. Le « bien » et le « mal » sont des attributs culturels, tu as raison sur ce point. Je ne suis pas persuadé que l'humain ait à gagner à se rapprocher de l'animal en rendant toutes leurs libertés à ces instincts. Entre les instincts sauvages et une morale souvent absurde, j'ose espérer qu'il existe un passage. Si le remord ressemble à ce que ressent l'être vivant – toutes familles confondues – lorsqu'il réalise que ses choix lui compliquent la vie, et que par conséquent, il doit revoir son jugement, je vois en lui un outil d'évolution. La vie sait se remettre en question, devant un mur, elle recule et cherche un nouveau passage. En ce qui concerne la « prise de conscience », c'est le fait de réaliser qu'une chose est, alors qu'on l'ignorait l'instant d'avant. Lorsqu'il s'agit du dialogue intérieur, tu peux l'assimiler à un ressouvenir, ou à une réorganisation des informations plus ou moins laissées de côté. Nous allons voir maintenant s'il n'existe pas une troisième utilisation du mot « conscience ».

— Jusque là nous sommes d'accord, du moins je crois que tout est clair. Je suis impatient de vous entendre parler de cette notion qui m'est encore étrangère.

— Pas tout à fait étrangère, seulement au niveau de ce que l'intellect peut en saisir. Le phénomène de la « conscience » que je vais te décrire, est inséparable de la perception. Il nous faut regarder son « visage » dans le miroir qui se situe face à l'idée que s'en fait notre raison. Pour notre esprit, un objet se tient là, à portée de nos sens. Parce que nous pouvons le voir, l'entendre, le toucher, le humer, il commence d'exister. De cet ensemble, nous pouvons tirer une conclusion : L'objet est localisable, identifiable, définissable dans la mesure où nos sens peuvent témoigner de sa présence. Toutefois, il nous faut considérer que la totalité des informations offertes à nos organes de perception ne correspond presque jamais à l'image finale que l'esprit se dessine pour lui-même.

— Voulez-vous dire que notre mental trahit systématiquement ce que nos sens appréhendent ?

— C'est cela ! Sa trahison vient de la limitation de notre système de traitement des données. Les organes envoient beaucoup plus d'informations qu'il n'en peut gérer. Si donc l'esprit fixe par anticipation, la qualité et la quantité des données qui permettent l'élaboration d'un réel de l'objet, peut-on énoncer que ce sont nos organes qui perçoivent ou bien notre « conscience » ?

— Je ne vous suis plus là, pouvez-vous le redire d'une autre façon ?

— Je m'y attendais un peu ! Dit-il en riant. D'une manière simplifiée, le « réel » de tout objet prend forme en notre esprit tout d'abord. Ensuite, ce dernier transmet aux sens les détails qui créent l'aspect de l'objet. La conscience engendre la perception et non pas le contraire. Ainsi le monde se construit et se montre tel que nous sommes capables de le voir. Mais nous affirmons que nous le voyons tel qu'il est. Cette position de notre conscience nous facilite la vie parce qu'elle nous dégage d'une bonne part de notre responsabilité.

— Votre explication me laisse perplexe. Je ne suis pas sûr de vous comprendre. Êtes-vous en train de dire que tout ce que nous percevons prend forme dans nos pensées avant d'exister par lui-même ? Cela implique que si je suis incapable de concevoir, je ne peux percevoir, est-ce cela ?

— C'est bien ce que je dis. Le terme « concevoir » est apparenté au terme « imaginer ». Notre esprit invente des images dans des processus qui sont pour la plupart inconnus de notre « moi ». De ces images vont découler les formes que nos sens sont censés appréhender. C'est une forme d'arrangement entre les sens et le centre nerveux, celui-ci leur demande de « voir » ce qui lui est utile, ce qu'il peut comprendre. Mais cette censure limite notre relation au monde.

Manter m'expliqua que ce que j'appelais un « objet » et un « être vivant », étaient pour lui une même chose. Un potentiel d'énergie. Il ajouta que tout était énergie et qu'il n'y avait pas moyen de percevoir l'énergie avec nos yeux. Que c'était notre mental inconscient qui transposait l'énergie invisible en matière. Mais que nos corps transmettaient à notre « inconscient » la somme de ce que nous échangions avec le monde qui nous entoure. L'énergie est lumière, notre esprit a désappris presque tout ce qui la concerne. Seules les formes sont exploitables pour lui. C'est pour cette raison que notre conscience s'évertue à prêter des formes à tout ce qu'elle rencontre. Des formes et des noms avec lesquels elle peut négocier.

— Les objets et les êtres vivants n'ont-ils pas une forme qui leur appartient ? Ce n'est tout de même pas mon esprit qui les crée tels qu'ils sont lorsque je les regarde. Et comment se fait-il que nous percevions les mêmes apparences ?

— Si nous voyons le monde formel dans les mêmes apparences, c'est parce que l'esprit de l'homme, quelles que soient son origine, sa culture, sa langue, est issu du même moule. Un consensus mental règne sur l'espèce, ce que d'autres nomment l'inconscient collectif. Mais tu remarqueras par exemple que les phénomènes de visions religieuses recensés ici ou là sont différents. On ne connaît pas de musulman qui ait vu apparaître un crucifix dans le ciel, ou la mère de l'enfant Jésus dans une grotte. De même on n'entendra pas parler d'un chrétien qui ait rencontré Mahomet dans un désert. Jésus, dit-on, a eu les pieds et les mains troués par les clous de la crucifixion. Certaines personnes, mues par leur foi invitent la souffrance christique à se manifester dans leur propre chair, et cela même si Jésus n'a jamais eu les mains perforées par des clous. La crucifixion romaine était généralement une pendaison, et l'on succombait par étouffement. Si donc l'esprit a ce pouvoir d'ordonner à notre corps de se mutiler lui-même, se peut-il qu'il ait également celui de nous faire admettre pour vrai tout ce que nous croyons voir ?

— Si je vous comprends bien, nous vivons tous dans un nuage d'illusions ?

— Je pense que c'est humilité d'accepter que l'essentiel nous échappe. En tout cas, dans les conditions dites « normales » de notre perception.

— L'humilité ! Voilà encore un mot qu'il va falloir me traduire à votre façon.

Vous m'avez dit dans le passé, que je ne devais pas me penser au-dessous, ni au-dessus de quiconque. J'ai bien l'impression que si je deviens plus humble, je me sentirai descendre sur une échelle que je ne cerne pas clairement. Être humble, n'est-il pas d'une certaine façon courber le dos ?

— Non, pas du tout ! Nous ne parlons pas de la même chose. L'humilité, c'est se tenir droit dans ses chaussures face aux réalités de la vie. Il n'est pas question là d'une notion qui permet de se positionner par rapport aux autres. Mais d'une attitude d'acceptation. Lorsqu'on ne sait être dans l'humilité, on vit alors dans la négation.

— La négation de quoi Manter, je ne vous entends pas.

— Que nous ne sommes pas grand chose, jeune ami. Si chacune de nos pensées, chacun de nos sentiments, chacun de nos gestes étaient habités de cette conscience que nous sommes de passage, que rien ne nous appartient, que nous n'emporterons rien non plus. Qu'il nous faut toucher toute chose avec la plus grande délicatesse. Alors le monde aurait un autre visage. Au lieu de cela, nous traversons la vie comme un troupeau de bisons traverserait un magasin d'objets en cristal. Derrière nous, il n'y a que des miettes.

— Et ces miettes témoignent de notre arrogance, c'est cela ?

— Elles montrent que nous n'avons que peu de considération pour ce qui n'est pas nous-mêmes. Paradoxalement, nous avons le même comportement envers notre personne. Parce que lorsque l'on est incapable de délicatesse envers ce qui nous entoure, on ne fait pas mieux en ce qui nous concerne. Se conduire avec humilité, c'est exprimer une grande délicatesse. Ne pas nier la grande fragilité du vivant. Ne pas nier que ce vivant ne peut en aucun cas nous appartenir. Lorsque nous cueillons un fruit sur l'arbre du vivant, nous mangeons sa chair, elle nous est offerte. C'est une mission que le vivant nous confie. L'arbre nous dit : « Prends la pulpe et emporte avec toi la graine, c'est mon bébé, plante la quelque part sur ton chemin ». C'est ici même que se montre notre grande négation, nous arrachons ce qui nous est offert et méprisons le grand œuvre. Peu nous importe la ruine que nous laissons derrière nos pas. Le monde nous appartient, ne sommes-nous pas les enfants de Dieu ?

— N'est-il pas vrai d'une certaine façon que nous sommes bien les enfants de Dieu ?

— Tout homme le croit. Mais lorsque nous le disons, nous nions que le ver de terre le soit aussi, et par cette négation nous devenons orphelins. L'humilité, c'est voir que nous ne sommes pas plus grands qu'un ver de terre. Nous sommes ce ver de terre. Et ce n'est pas se diminuer que de le voir. C'est grandir. Car c'est en regardant au travers de ce ver que nous verrons le fauteuil qui nous revient. La place de laquelle on peut voir le soleil se lever sur un monde qui a recouvré son équilibre.

Ma sensibilité et mon attention pour le monde animal m'aidaient à entrevoir le sens de ses mots. D'une certaine façon, je m'étais toujours senti proche des ces petits êtres. Je n'avais jamais cherché à formuler cette proximité, cette parenté, mais je la vivais. J'avais lu des textes qui racontent la vision des Amérindiens. Ils témoignaient du respect du prédateur envers la proie qu'il vient d'abattre. Le bison est un frère, il le remerciait pour lui avoir offert sa vie. L'homme ne se voyait pas supérieur, il faisait partie d'un tout qui fait régner sa loi. Le chasseur ôtait la part qui lui revenait sans oublier jamais que lui-même était une part qu'il offrirait un jour pour apaiser la faim d'un univers qui ne sait produire que le ventre plein. Cette humilité que m'expliquait Manter me confirmait dans les sentiments qui m'habitaient depuis le plus jeune âge. Tous les êtres vivants sont des parents, parce qu'ils contribuent tous d'une manière uniforme à l'équilibre de la nature. Chaque espèce tient la main d'une autre espèce, serrée dans la sienne. Constituant ainsi une chaîne où chaque maillon joue un rôle indispensable. Aucune de ces pièces ne peut se considérer plus utile, plus essentielle qu'une autre. Vivre cet état de fait dans son esprit, mais le vivre encore et encore dans sa chair, voilà ce que mon vieil ami désignait comme l'humilité. Accepter la vie avec ce qu'elle contient de beautés et de souffrances, la savourer pleinement, c'est assumer intégralement la mort qui nous attend au détour de chaque chemin. Pouvoir regarder sans frémir la certitude que notre fin est un renouveau. Voir que le commencement de notre être plonge ses racines dans chaque être vivant et que son aboutissement est le terreau de toute vie qui nous suit. Telle était l'humilité qui transpirait par tous les pores de mon sage ami jardinier.

— J'ai toujours associé cette notion d'humilité à un manque de moyen, à une privation de liberté par conséquent. En vous écoutant, je réalise au contraire que ce sont de nouveaux espaces de liberté que votre regard sur cet état d'esprit ou d'âme que vous nommez « humilité » m'ouvre. Pourriez-vous me parler de cette liberté ?

— Certes, comment parler de la liberté dans un monde où tout se construit sur l'obéissance ? Les hommes recherchent leur liberté dans le pouvoir de tourner le dos à leurs devoirs les plus élémentaires.

— Je pressens que vous allez me dire qu'il n'est pas question de faire ce que l'on veut.

Il m'offrit un sourire d'accord et me répondit : « tu pressens bien mon gars ! ».

— La liberté est une fleur qui pousse sur la conscience d'une nécessité qui n'appartient pas à l'individualité. Nous sommes libres en effet de ne pas tenir compte de cette nécessité. Nous pouvons nous comporter comme si nous étions seuls au monde. Mais nous pouvons aussi voir le chemin de la juste action. A chaque pas, il y a la possibilité d'un choix. Celui qui tranche entre une quantité d'actions aveugles et la seule qui soit juste. Celle qui répond de la manière la plus adéquate à la situation.

— Mais comment discerner parmi toutes les actions possibles, celle qui est la plus juste ?

— Cela se dit au fond de nous. Et c'est bien au fond de nous aussi qu'existe l'espace de cette liberté. La nature égoïste s'exprime tout d'abord. Et c'est bien naturel. Cette nature nous pousse à voir les choses d'une façon très déformée et très exagérée. Elle croit systématiquement que l'individualité est menacée. Elle nous dit qu'il faut nous préserver, penser à ce qui nous est utile en premier lieu. Sans se soucier des autres. Mais si c'est un comportement naturel à la base, des millénaires d'un mode dysfonctionnant de la pensée l'ont fait glisser dans une forme pathologique de compréhension du monde. L'ego sépare comme je te l'ai déjà dit. De ce sentiment de séparation naissent des choix correspondants.

— Vous semblez dire qu'en dessous des voix de l'ego, une autre voix peut s'entendre, est-ce bien cela ?

— Te souviens-tu de ce mendiant que nous avons croisé sur cette place du palais de justice à Aix ?

— Oui, j'ai refusé de lui donner les cinq francs qu'il me demandait.

— Et te souviens-tu des pensées qui traversèrent ton esprit dans cette minute ?

— Je le crois… Son attitude me dérangea, il me parut très arrogant. J'ai tout d'abord pensé qu'il était alcoolique et qu'il irait tout de suite acheter une bouteille de vin si je lui donnais ce qu'il espérait.

— Là, ton esprit cherchait des arguments afin d'éviter de te priver de cette somme pour laquelle tu avais d'autres projets, n'est-ce pas ?

— C'est vrai… Il n'y avait aucune raison que je me prive pour un alcoolique, si encore j'avais pu être certain qu'il allait utiliser cet argent d'une meilleure façon. Je veux dire… Se nourrir par exemple.

— Mais en même temps, tu étais gêné de ce refus, tu as hésité un moment et failli sortir ton porte-monnaie de ta poche. Parce que tu ne voulais pas apparaître à mes yeux comme une personne qui manque de générosité ? Est-ce vrai ?

— Je l'avoue, je me suis demandé ce que vous alliez penser de moi. J'avais besoin de cette somme pour prendre le car, il me fallait donc choisir entre son litron de vin et perdre quelques heures à faire du stop sur le bord de la route.

— Si tu avais utilisé ta liberté pour écouter le doux murmure audible au-dessous de toutes les autres voix. Celles qui crient pour te rappeler tes intérêts. Tu aurais donné ces cinq francs à ce malheureux sans te soucier de l'usage qu'il allait en faire. Cela t'aurait coûté quelques heures d'attente sûrement, mais ton action se serait inscrite dans un temps universel.

— Qu'est-ce que vous voulez dire par un « temps universel » ?

— Les actes que l'on produit et qui participent à l'élévation d'un édifice plus vaste que notre refuge personnel, ceux qui établissent un pont entre l'autre et soi, ne sont pas des actes jetés dans le vide. L'acte juste consiste à ne jamais garder pour soi un superflu. Surtout lorsqu'un autre être est dans le besoin de ce superflu. Cette somme, ce n'est pas seulement ce mendiant qui te la réclamait, mais l'univers tout entier au travers de lui. Cette partie de toi qui manque cruellement à autrui ne peut te grandir que si tu sais l'offrir. C'est ce que le doux chant des profondeurs de l'être fredonne en tout instant. Lorsque tu ne donnes pas, c'est à toi aussi que tu refuses, et lorsque tu te refuses, c'est l'univers qui ne reçoit pas. Nos choix servent deux temps, le temps personnel et le temps universel. Nous avons cette liberté là, choisir le temps dans lequel nous voulons nous déplacer. Chacun de ces choix est une proposition du monde. Se conduire d'une façon juste, c'est pouvoir faire le choix entre ces deux temps en conscience.

— Mais que se passe t-il au juste si je choisis d'agir en fonction de mes intérêts le plus souvent ?

— Trop de mauvais choix, trop de regards tournés vers notre petite personne, et la vie s'en va. Elle s'en va de nous comme elle s'en va du monde. L'ordre que nous donnent la nature et la vie est de respecter la juste nécessité. La juste nécessité ne réside pas dans l'estimation de nos besoins personnels. Elle ne concerne pas l'individu mais un tout.

— Voulez-vous dire que je doive renoncer à jouir de quelque chose si autour de moi d'autres personnes en sont privées ? Mais si je suis cette ligne de conduite, ne vais-je pas finir par manquer de l'essentiel et menacer ma propre existence ?

— L'essentiel ne vient à manquer que lorsqu'on possède ce qui manque à notre voisin. C'est le partage seul qui enrichit. Ton existence dépend de l'existence de tout ce qui t'entoure, nourris ce qui est autour de toi, et ton existence sera fortifiée. Telle est la délicate obéissance.

Pendant des années, le sens réel des mots de Manter sur cette notion de choix et de liberté, m'a paru comme le rappel d'une leçon de morale bien connue. La règle d'or, celle que l'on entend partout dans le monde depuis vingt-cinq siècles. Dans toutes les religions, dans toutes les régions du globe, dans toutes les cultures, comme un principe universel. Confucius l'énonçait quatre siècles avant que Jésus prononce son sermon sur la montagne, dans ces termes : « Fais pour les autres ce que tu voudrais qu'ils fassent pour toi ». Certains philosophes parlaient d'un principe naturel inscrit dans la chair de l'homme. D'autres affirmaient que dans cette règle qui s'impose d'elle-même dans notre espèce réside le « propre de l'homme ». Les hommes confondent trop souvent les bons principes, qui découlent des bonnes réflexions, avec la connaissance offerte par un état de conscience nouveau, plus profond. Lorsque je fis cette remarque à Manter, il me répondit que ces penseurs se trompaient, qu'ils confondaient entre une éducation inculquant des principes moraux et l'empathie naturelle. Selon lui, le premier signe qui indiquait leur erreur, c'était que si cette belle formule de la règle d'or avait été autre chose qu'une leçon de morale, le monde aurait eu une autre histoire, un autre visage. Il me dit « Tu sais, tout le monde a ces belles paroles en bouche, mais personne n'est en réalité capable de les appliquer davantage que quelques fois par jour. La morale, ça ne marche pas bien, c'est juste un garde-fou. En tout cas rien qui ressemble à mes yeux, à un principe charnel, un instinct. Seulement une leçon mal apprise ». Il m'expliqua encore que le second signe de leur erreur est dans le fait qu'ils affirment que c'est à la fois universel et propre à l'espèce humaine. Pour ces penseurs, l'univers s'arrête à l'espèce humaine, et il n'était pas sûr que cette appellation inclue certaines civilisations oubliées. La morale permet la « bonne conscience », mais celle-ci est très peu compatible avec le « bon état de conscience ». Qu'un principe moral soit le propre de l'homme, cela allait de soi, mais que soit niée une aptitude empathique chez l'animal, les sommets de l'absurdité étaient atteints. A l'humain la morale, à l'animal un ressenti de la souffrance de l'autre par un état de conscience qui le fait fusionner à l'autre. La fusion biologique est une permanence, mais lorsqu'elle prend forme dans notre souvenir, lorsque soudain une part de nous sait que chacun est membre d'un même corps, l'empathie s'allume comme un feu de forêt et notre « moi » explose.

Chapitre 6.
Les mots du silence

Silence du cœur. Silence des sens. Silence des mots intérieurs, car il est bon que tu retrouves Dieu qui est silence dans l'éternel. Tout ayant été dit, tout ayant été fait.

Citadelle – A. de Saint Exupéry

Entre nous l'inconnu s'est glissé,
Entre dire et taire se tient une vérité,
Et l'intervalle est intense
Qui ne veut se montrer.

De ces formes toujours, je dois me contenter,
Marchant derrière toi, je me retrouve hier.
Chaque instant, chaque jour revient
Et je suis ailleurs.

Manter me donnait l'impression de se trouver en plusieurs lieux simultanément. Etaient-ce des lieux ou des temps ? Je ne le sus jamais trop clairement, un grand mystère entourait sa personne. Quand il écoutait, ses yeux étaient fixes, comme s'il regardait des images complexes. La parole d'autrui était pour lui comme un cheval qu'il enfourchait. Je le sentais partir ainsi galopant dans des contrées invisibles pour moi, mais une partie de lui ne s'éloignait jamais. Les mots qu'il prononçait mettaient à jour des vérités enfouies sous le sable de l'oubli, comme les coups de brosse de l'archéologue révèlent les ossements des animaux des temps lointains. Ses mots et ses actes étaient emplis d'une magie. Cet effet, je n'étais pas le seul à le ressentir. Lorsque nous marchions dans la campagne et les bois, il ne manquait pas de se produire quelque phénomène manifestant une « synchronicité » avec ses propos. Il en allait de même dans les rues ou les lieux de la ville que nous fréquentions. Son aura le précédait et je me sentais transporté dans une bulle sécurisante lorsque je marchais à ses côtés. Un après-midi de la fin avril, nous suivions la crête montagneuse de l'Etoile en conversant sur le sujet de la création artistique. La musique occupait une place prépondérante dans ma vie, la peinture et la sculpture étaient des domaines d'expression qui m'inspiraient une fascination et un respect sans borne. Sans doute parce que je n'avais pas réussi à trouver en moi la plus petite trace de facilité dans l'exercice des ces arts. C'était une journée orageuse, des nuages lourds d'énergie électrique s'annonçaient à l'horizon. Manter m'expliquait que selon lui, il y a une confusion dans notre manière de définir la « création artistique ». Le verbe « créer » évoque la nouveauté. Alors que dans les œuvres réalisées généralement par nos « artistes », il ne s'agit que de répétition. Lorsque je lui demandai de m'éclaircir ce point :

« qu'entendait-il par « répétition ? », Il me répondit que nos arts sont avant tout un moyen d'exprimer nos états d'âme, que ceux-ci sont connus et partagés de tous et que c'est tout ce que nous faisons depuis des millénaires.

— Les humains adorent ça ! Ils réclament qu'on les trempe dans leurs émotions. Ils jubilent lorsqu'ils sont envahis par les sensations communes. Ils savourent leur béatitude devant le spectacle effervescent des remous et des larmes. Cela les rassure profondément et les plonge dans un sentiment de communion. La société s'est organisée autour de ce phénomène, donne leur de quoi s'émouvoir ensemble autour d'une belle peinture ou d'un beau concert et les voilà dans l'oubli des injustices sociales. Point d'émeute lorsque la rue s'anime de danses et de théâtre. Les ventres vides n'ont plus qu'à se nourrir des beaux sentiments. Les hommes choisiront un jour de communier dans l'intelligence et non dans leurs ressentiments. Alors peut-être verrons-nous sortir de terre une nouvelle forme d'art, un art créatif.

Je regardais le ciel tout en réfléchissant à ses paroles. Une mer de nuages gris noirs avançait sur nous jetant des éclairs menaçants. L'orage me paniquait depuis ce jour où il s'était approché de moi, si près qu'il aurait pu me toucher de sa langue de feu. J'avais senti le sol trembler sous ses coups de boutoirs. L'onde passa dans les roues de ma bicyclette, je la sentis secouer le cadre métallique. Pendant une fraction de seconde nous étions deux entités à nous disputer l'engin et puis une boule de feu traversa la route, là, juste devant ma roue. Nous finîmes dans le bas-côté, le vélo et moi. J'étais mouillé de sueur, était-ce la frayeur ou la chaleur de la foudre qui me transforma en éponge saturée d'eau ? Cette terreur était en train de m'assaillir, j'aurai voulu quitter les lieux mais mon compagnon ne semblait pas inquiet. Je n'osai pas lui montrer que j'étais au bord de la panique. Je saisis le fil de la conversation, mon attention s'était détournée et la pelote de mots s'était déroulée. La seule solution pour échapper à la peur qui allait m'envahir était de me plonger dans ce qu'il venait de dire. Les flashes et les tambours électriques jouaient leur musique de mort sur un panorama déserté par la vie. Seuls nos deux êtres avaient commis l'erreur de se laisser prendre dans ce piège, et pour cela, j'en étais très contrarié.

— J'avoue que j'ai du mal à imaginer quelle forme aura ce pouvoir de création que vous me prédisez.

— On ne crée rien soi-même, une création est l'ouvrage de deux parties qui fusionnent. Elle n'est pas l'œuvre d'un seul homme qui travaille au fond d'un atelier. Je ne te parle pas non plus du produit des hommes en équipe. Il faut entendre que les deux parties sont le monde et l'être vivant lorsqu'un vrai dialogue peut s'installer.

La pluie commençait à tomber en de grosses gouttes qui trouaient le sol et martelaient nos crânes. Elle m'empêchait de creuser la terre des mots qu'il prononçait, le sillon que j'y voulais tracer s'effaçait au fur et à mesure et aucune lumière ne montait pour éclairer ma compréhension. Manter éleva son bras vers le ciel, le poing fermé.

— Vois-tu, la création peut prendre cette forme là ! Un geste en apparence anodin et presque toujours incompréhensible pour celui qui se tient à l'extérieur.

Je le regardai, les yeux à demi fermés en fixant son poing au bout de son bras tendu comme un arc. Et c'est ailleurs, dans ma mémoire, que je me retrouvais. Des souvenirs rapides comme des éclairs se présentèrent, j'étais retourné dans ce bar à Aix en Provence. Le jour où je fus témoin de ce dialogue avec Annie. Cette scène sous l'orage avait quelque chose de commun avec ce moment de communion entre Manter et la jeune fille autiste. Je sentais qu'il était en train de reproduire le même acte. Je le comprenais intellectuellement mais aussi je le voyais réellement. Quelque chose avait bougé dans les nuages, juste au-dessus de nous. Il y avait comme un vent accomplissant un cercle parfait à la verticale de notre position. Les nuages s'étiraient comme poussés par des mains géantes. Bientôt un petit rond bleu apparut, alors que tout autour de nous, le ciel était en tempête. J'entendais la foudre toucher le sol en des milliers d'impacts, mais plongé dans une incrédulité absolue, je ne pouvais quitter des yeux la petite surface de paix qui continuait doucement à croître. Ce moment me figea dans un état d'émerveillement et d'émotion intenses. Bouche bée, j'étais crispé dans une tension insoutenable, sans doute conscient que malgré tous les efforts dont j'étais capable, l'essentiel allait encore s'échapper. Manter continuait à brandir son poing et les nuages semblaient obéir, il était en train de m'offrir un soleil privilège. Ce n'était pas pour me réconforter qu'il accomplissait ce prodige, mais bien pour me donner à vivre la réponse qu'il m'avait apportée un instant plus tôt.

Il est resté bien dix minutes le bras levé, cette image reste gravée dans mes souvenirs non comme un symbole de victoire, mais comme celui d'une grande complicité avec les éléments. Manter avait-il perçu un changement dans la météo locale ? Et avait-il profité de ma naïveté pour me laisser croire à une manifestation « miraculeuse » ? Sur le moment j'avoue m'être posé la question, mais au regard de tout ce qu'il m'a été donné de vivre durant ces cinq années de relation avec cet homme, il est évident que sa connaissance du monde et sa perception effilée l'établissait dans une dimension sensible de la communication. Cette « bande » de communication nous est à tous en grande partie inconnue. Nous, qui sommes convaincus de fonctionner de façon logique, nous, qui basons l'ensemble de nos actes et de nos pensées sur la rationalité, nous, qui dans les faits, utilisons plus souvent que nous le pensons notre cerveau intuitif. Cette partie de nous qui échange avec l'environnement proche ou plus lointain, sans que nous soyons capables d'en être témoin.

L'orage n'était plus pour nous, l'espace bleu dressait un axe du sol jusqu'à l'infini, là où nous étions assis. Les nuages noirs, emplis d'une grande colère, gravitaient jetant leurs feux sur les arbres et plus loin sur les villages. Cela faisait comme un puits et nous étions au fond, regardant la bouche éclairée au-dessus de nos têtes. Des faisceaux de lumière descendaient comme des flèches de chaleur envoyées par notre ami le soleil. Autour de nous, les pierres et l'herbe se réchauffaient rendant l'eau reçue l'instant plus tôt. Nous n'avions prononcé nul mots, ni échangé le plus petit regard. Lui, parce qu'il était en conversation silencieuse avec les « Dieux » de l'orage. Moi, parce que mon esprit lévitait à l'intérieur de ma boîte crânienne. J'étais aux anges, je baignais dans une sorte de béatitude, un sentiment immense de sécurité avait pris possession de tout mon corps. Jamais sans doute je ne me sentis autant à l'abri depuis que j'avais quitté le ventre de ma mère. Manter me regardait à présent, son visage dans la lumière blanche affichait un généreux sourire. J'attendais qu'il parle en premier, je ne voulais pas risquer d'interrompre une expérience dont je ne percevais que des miettes.

— Que penses-tu de cette forme d'art ? demanda-t-il avec une pointe d'humour dans la voix.

— Vraiment ! Je ne sais pas quoi penser dans cet instant ! Ou vous savez lire dans les nuages, ou ce qui est encore plus hermétique, vous savez leur parler. Dans un cas comme dans l'autre, je me dis que j'ai une sacrée chance de vous avoir rencontré. Je ne ressens pas le besoin de vous questionner sur ce qui vient de se passer, je ne peux que vous dire l'immense sentiment de sécurité que j'éprouve lorsque vous êtes près de moi.

La dépression s'était déplacée, Manter et moi sommes restés silencieux, plongés dans une respiration qui suivait le même tempo. Cet exercice faisait partie de nos activités courantes. Lorsque nous n'avions rien à nous dire, nous partagions une même dimension du monde par ce mode de respiration. Au fil du temps, j'avais fini par apprécier cette danse de l'air. Je voyais plus clair dans ce qu'elle était censée m'apporter, c'était bien davantage qu'une simple mise en condition physique. Au bout d'une dizaine de minutes, une connexion s'établissait. Mon cœur et mon fluide sanguin, mes muscles, mon cerveau passaient sur une autre fréquence. Ils n'étaient plus soumis aux tensions de mon intellect et de mon « moi ». Ensuite, mon environnement m'apparaissait plus proche, moins étranger. Je laissais mon regard se promener à son gré d'un arbre à l'autre, puis j'entrais dans leur feuillage. Mon esprit glissait sur les branches, puis sur les feuilles. Le temps s'écoulait ainsi sans que je puisse en garder une mesure, parfois des heures, et la tache rouge du soleil sur les cimes me sortait de mes voyages. Etrangement, lorsque je revenais à l'état ordinaire de mon attention, j'avais la sensation non pas d'un éveil, mais au contraire d'un engourdissement. Dans cet échange silencieux, Manter me parlait ou s'adressait à la nature et j'en étais un témoin involontaire. J'étais tout à fait incapable de donner un sens verbal à ce qu'il disait, en mon corps, il n'y avait que sensations intraduisibles. Ces dialogues silencieux, je le sais maintenant, ont contribué pour la plus grande part à m'orienter sur le chemin de la vie durant les années qui suivirent notre séparation.

Le soir s'annonçait, Manter s'étirait et remuait ses jambes. Je compris qu'il me fallait me préparer. Deux heures de marche nous attendaient, les retours vers la voiture et donc vers la civilisation m'ont toujours paru plus creux, vidés de tout enchantement. Manter aussi marchait plus vite lors de ces trajets, je me calai sur sa fréquence. Quitter ces lieux où tout ce que j'y vivais était exceptionnel ressemblait à une séparation. C'est dans ces occasions que j'appris à les abréger alors que les retrouvailles grandissaient en chaleur.

Et pourtant, j'ai connu la peur en sa compagnie. Une peur terrible, qui me paralysa. Une de ces peurs capables de vous essorer et de faire se vider votre corps par tous ses orifices. Ce souvenir plus que tout autre (quelques mois plus tard), était celui qui me tranquillisait. Avoir vécu cet événement avec Manter m'apporta une forme de confiance qui ne tolérait aucun raisonnement. Je ne parle pas de la confiance en lui, ni du fait que sa présence renforçait mon sentiment de sécurité. Oui, étrangement cette frayeur, aplanit les doutes. Ceux qui s'élevaient lorsqu'il me présentait des notions aussi abstraites que celle du « non-agir ».

Nous nous étions retrouvés dans un café de Marseille. C'était presque l'anniversaire de notre rencontre. J'avais atteint mes dix-huit ans. Accoudés sur le comptoir, nous avalions un thé trop chaud. J'étais mal à l'aise et mécontent de l'avoir suivi dans un quartier mal famé, mais je n'osais rien dire.

Derrière le bar et face à nous, une grande glace s'étalait sur la longueur du mur. Je pouvais voir la salle et les tables rangées le long des baies vitrées, la rue et la boutique de bric-à-brac en face. Des habitués de la maison jouaient à la belote en tapant sur le tapis de cartes. Leurs coups et leurs bruits de voix me faisaient parfois sursauter. Manter appréciait son thé en silence, son esprit semblait planer au-dessus d'une prairie fleurie par le mois de mai. Moi, j'étais tendu, je ne pensais qu'à une seule chose, la minute qui me libérerait de ce lieu où je n'avais rien à faire de bon.

Mon inquiétude enfla lorsque je vis s'approcher de la porte trois types à l'œil malsain, une grimace de pirate fendait leur visage dans la diagonale et lorsqu'ils esquissaient un sourire, en guise de salut à quelques clients, je croyais voir des chiens d'attaque tenus en laisse. Il ne leur manquait que le foulard et le crochet en guise de main. Je les observais aussi discrètement que possible du coin de l'œil. Une barbe de plusieurs jours, la trentaine bien sonnée, leur goût vestimentaire et leur façon de gesticuler rendaient bien l'effet que sans doute, ils recherchaient. Je perçus la contraction dans le visage du patron lorsqu'il les vit entrer. Un différent les opposait, les voix ne tardèrent pas à monter sous la forme de menaces et d'insultes. Je tournai la tête vers mon compagnon, je ne voulais surtout pas qu'ils me trouvent indiscret. J'espérais également que Manter me fasse signe de nous en aller. Mais il ne bougeait pas, sans doute son escapade l'avait entraîné sur les traces d'une biche terrée au fond d'un bois. A des mots que j'avais saisis, je compris que si le patron ne leur donnait pas ce qu'ils attendaient de lui, ils casseraient tout dans son bar. Il y eut une bousculade avec deux clients mécontents, mais ceux-ci privilégièrent la voie de la sortie plutôt que celle de l'affrontement. Soudain, l'un des trois, un homme brun, cheveux longs et moustache remarqua notre présence insolite. Nos têtes lui étaient inconnues, il devait se demander par quel caprice du sort des étrangers au quartier étaient venus se perdre dans ce troquet. Il fit un signe à ses deux associés qui s'avancèrent d'un pas décidé vers nous. Mes jambes commençaient à trembler et je m'accrochais à la barre en cuivre du comptoir pour me stabiliser.

L'un d'eux posa une main sur l'épaule droite de Manter, les deux autres se placèrent derrière nous, ils nous toisaient dans le grand miroir. « Eh vous-deux, laissez vos portefeuilles sur le zinc et tirez-vous d'ici, compris ? ». En un point du miroir, mes yeux se fondaient dans ceux de mon ami. Ils avaient un éclat glacial, je sentis dans ma chair la métamorphose de Manter, c'est précisément ce phénomène qui me transmit une panique animale que je ne pus réfréner. Je n'avais plus peur de ces inconnus, mais de lui. Ce qui était en train de se passer en lui me terrifiait, parce qu'il m'était impossible de donner un sens à l'effet que cela produisait en moi. Une voix intérieure essayait de me rassurer : « Mais pourquoi as-tu peur de lui ? Il n'est pas ton ennemi, tu es arrivé avec lui, souviens-toi ! ». Sans se retourner, Manter leur dit : « Jeunes gens, vous avez encore de longues années devant vous. Alors passez votre chemin ».

Ces mots, prononcés avec une voix calme et profonde, imprimèrent une image dans mon esprit. Celle d'une fleur qui a poussé sur le sommet d'un blockhaus. Mais le pouvoir n'habitait pas les mots eux-mêmes. Le pouvoir, il me faisait trembler dans la profondeur de mes os, bien avant qu'il les dise. Comme il avait dû pénétrer dans le corps des voyous. Un silence régna quelques secondes qui ne finissaient pas de s'étirer. Je m'aperçus à peine de leur recul, de la porte qui claquait. La panique me secouait, pendant une heure encore je la sentis se dissiper tout doucement.

— Patron ! Serait-il possible d'avoir un autre thé à la menthe ? Questionna Manter en me demandant d'un regard si j'en désirais un moi aussi. Je lui fis signe que non, et cherchai la direction des toilettes.

Il avait enfin fini son thé, je quittai les toilettes et il me fit signe qu'on allait sortir. Je le suivis dans le dédale de rues, réprimant un flot de questions. La frayeur inexplicable qui avait envahi tout mon corps, sans doute que les « caïds » l'avaient ressentie aussi. Mon désir de comprendre était aussi vif que cette douleur dans le ventre lorsque Manter avait changé sa condition intérieure. Nous débouchâmes aux « Réformés », l'église St Vincent de Paul domine la Canebière. On y aperçoit plus bas le vieux port et le bleu de la mer. Nous avons marché jusqu'à la place

Gambetta où nous prîmes place sur un banc. « Je t'écoute, dit-il en souriant, que veux-tu savoir ? ».

— Que s'est-il passé dans ce bar, qu'avez-vous fait au juste ?

— Tu as bien vu que je n'ai rien fait. Je ne sais pas ce qui leur a pris à ces gars de sortir si vite alors qu'une conversation intéressante se proposait à nous.

— Vous vous moquez de moi ! J'ai bien cru que j'allais m'évanouir de peur. J'en ai même oublié que j'étais en votre compagnie et j'ai cru que votre colère allait s'abattre aussi sur moi… Quelque chose montait en vous qui a paralysé tout le monde. Vous ne pouvez le nier !

— Oui, c'est ce que je dis, je n'ai rien fait, ou plutôt, j'ai non-fait. Ce que tu as perçu est l'énergie du non-agir.

— Je crains que cette expression n'évoque rien pour moi. Expliquez-moi ce qu'est le non-agir s'il vous plait.

— Ah ! Voilà une question bien difficile. Le non-agir est une chose tellement abstraite. Ne pourrais-tu pas te contenter de ce que tu connais déjà de cette expérience ?

— Vous blaguez ! Vous savez bien que je ne le peux. Une fois la peur passée, c'est l'émerveillement qui m'envahit et me fait bouillir la tête. J'ai vraiment cru que vous alliez leur faire mordre la poussière.

— J'aurais pu en effet, mais c'était plus judicieux d'appeler l'énergie à notre secours, c'est plus efficace contre les balles.

— Les balles ? Lui-dis-je sincèrement surpris.

— Oui, les balles de révolver, l'un des types en portait un sous son blouson de cuir. Tu n'avais pas remarqué ?

— Non, je crois que je vous ai davantage regardé que ces gars. Alors, votre « truc » à énergie, c'est plus fort que des bonnes prises d'Aïkido ?

— Et bien disons que les révolvers sont une invention trop moderne pour ces arts martiaux antiques. Alors que le non-faire, lui, est en dehors du temps. A la fois si vieux et si jeune que la planète ne le connaît pas encore.

— Mais, en quoi ça consiste ?

— Ça amplifie les possibilités de partager.

— Eludez-vous ma question ? Je voudrais savoir ce qui se passe lorsque vous faites appel à votre « non-faire ».

— Ok, ok, je vais essayer de te décrire les grandes lignes. Tout d'abord, je me déconnecte de la vision que mon esprit établit de la scène. D'une certaine façon, c'est se déconnecter de la réalité. Celle que nous concevons, que nos sens, notre personne, et notre raison appréhendent. Un autre « moi » s'élève au plafond et intègre les évènements, mais cet autre n'est pas sensible, il demeure intouchable.

— Que voulez-vous dire par « se déconnecter de la réalité » ?

— Que tu n'es plus préoccupé par ce qui arrive. Les actes et leurs effets n'ont plus d'importance. Tous les lendemains et tous les hier s'effacent. Ton être s'étend et prend tout l'espace de l'ici et maintenant.

— Est-ce cette disposition d'esprit qui produit l'énergie qui nous a secoués, ces types et moi ?

— Certains états de conscience modifient peut-être la vibration de nos êtres. Mais peut-être aussi qu'une quantité de l'énergie qui nous entoure, entre en nous. Nous nous chargeons alors comme des batteries. Quoi qu'il en soit, ce qui est observable – et tu l'as observé –, c'est que l'air est chargé d'une vibration spéciale.

— Oui, c'était si spécial que ces voyous se sont sauvés sans poser de questions. Manter sourit à cette approbation et reprit son explication.

— Comme je te le disais, cet état chargé en vibrations amplifie les possibilités de partage. C'est donc très communicatif.

— Dites-vous que ces gens ont pris cette charge d'énergie en pleine figure ?

— En quelque sorte… Le « non-agir » offre une plage de liberté. L'homme se métamorphose en tuyau. Il se creuse intérieurement, alors les vents de « l'esprit » passent en lui sans contrainte, sans entrave. Ce qui se produit ne peut pas être considéré comme une action. Pour la simple raison, qu'il n'y a plus de sujet. Ainsi, ce qui se manifeste appartient à tout le monde. Quelque soit sa forme, la manifestation qui résulte du non-agir doit être vue comme un objet d'art. Une « création » de l'univers qui pénètre au plus profond des êtres vivants. Toute tentative de l'esprit pour le signifier reste vaine et ne répercute aucune influence sur l'effet réel du message qui se diffuse dans les chairs.

— De quel genre de message parlez-vous Manter ?

— C'est toujours le même message en fait. Mais les effets sont différents selon les résistances de l'individu. Le premier contact avec cette manifestation ou l'objet, produit des sensations corporelles. Le tumulte charnel découle du trouble mental dans lequel nous sommes plongés. Lorsque l'esprit est face à quelque chose qui le dépasse et qu'il ne peut s'approprier en le définissant, il cède à la panique. Plus le phénomène est fort ou curieux, plus la panique s'accroît.

— Oui, là je retrouve les signaux dont j'ai été témoin, je crois pouvoir comprendre cette partie du-moins. Mais ensuite ?

— Ensuite, la tempête qui secoue la carcasse du navire et la cabine du capitaine, crée une faille entre le « conscient » et l'abyssal qui git en nous. Ce moment de déséquilibre joue comme une clé. Des portes s'entrouvrent qui ne laissent jamais passer la lumière. Un dialogue mystérieux s'établit entre l'univers et la partie cachée de nos êtres.

— Ce que j'aimerais comprendre, c'est le phénomène qui a découragé ces gens de nous faire des ennuis. Pouvez-vous m'expliquer cela ?

Il avait écouté ma question silencieusement. Maintenant, il me regardait d'une façon étrange, ses lèvres dessinaient une esquisse de sourire. Lorsque Manter laissait s'installer un nuage de silence sur notre conversation, c'était souvent parce que j'avais prononcé des mots incertains ou confus. Il finit par me répondre : « Tout ce qui t'intéresse, c'est le résultat ? Tu as le sens pratique au moins ! Je me décarcasse à essayer de t'expliquer ce qu'est le non-agir, et toi, tu es pressé de connaître la raison de leur fuite ».

— Eh bien cher professeur, n'est-ce pas le plus important, le résultat ? Lui dis-je en me défendant. Imaginons que je me retrouve un jour dans une situation semblable, que pour avoir la vie sauve, il me faille appliquer votre super prise de « ne pas faire de prise ». Comment ferai-je si vous ne m'expliquez pas ?

— Le résultat, ce n'est pas ce que tu sembles croire. Il ne réside pas dans l'action qui t'a marqué. Dans ce cas précis, ton esprit n'aura su retenir que les faits qui l'intéressent. Tes vrais ennemis ne sont pas dans les rues ou les troquets, ils sont en ton laisser-aller, en tes peurs et tes orgueils. L'unique sens de ce que nous avons vécu, c'est en toi qu'il habite. Le « non-agir » a délivré son message, mais tes oreilles ne peuvent pas encore l'entendre. Bien sûr, ce que ces trois types ont vécu, c'est la même expérience que la tienne. Vous quatre, vous avez entendu le même son de flûte. Mais vous n'en ferez pas le même usage. Ne gaspille pas la chance qui t'a été donnée d'entendre l'oiseau rare chanter du fond de sa forêt. Autrement dit, le message ne se cache pas dans le jeu de jambes des fuyards mais dans ta propre nausée, celle qui te fit aller vers les toilettes précipitamment.

Au fond de moi, se livrait une bataille, entre la honte que l'enfant ressent lorsqu'il se fait gronder et les sentiments justifiés, d'une nécessité d'apprendre tout ce qui pouvait m'aider à survivre. L'instinct de la survie hibernait dans sa grotte, une cavité cachée quelque part sous mon diaphragme. Son sommeil était léger, il ne fallait pas beaucoup pour le réveiller et le mettre en colère. Et alors, il sortait violemment, comme un ours Grizzli. Aucune autre action que celle qui fauche l'élan de l'assaillant, de l'ennemi qui veut s'en prendre à ta vie, ou à celle de l'autre, l'être aimé, aucune, ne me semblait plus juste, plus noble.

Sur la place Gambetta les nuées de pigeons faisaient leur marché, des monceaux de victuailles tombées des cageots leur tendaient les bras. Une foule s'agitait autour des étals, les gens allaient et venaient entre les rangées de tables. Des vagues de cuirs chevelus, de casquettes et autres couvre-chefs ondulaient. Quelques têtes blanches, ici et là comme de la mousse d'écume apportaient la touche finale au tableau qui s'imprimait dans mon imaginaire. Le souvenir de ce jour, où Manter avait tracé un cercle avec ses pieds, un mur fait d'une énergie invisible qui me bloqua, remontait à la surface. Je compris que ce que je voulais savoir, je l'avais vécu avec mon corps et mon esprit. Mais ce qui était essentiel m'échappait. Comment pouvait-il réaliser ce prodige ? Il sembla entendre la question qui martelait en vain ma raison et reprit la parole dans ces termes.

— C'est fou ce que l'esprit peut faire dès que la censure diminue. Te rends-tu compte qu'à chaque minute, une voix te dit ce que tu dois voir, ce que tu dois comprendre, ce que tu dois croire, ou ce que tu peux faire. Et cette liste n'est pas exhaustive.

— Je crois que je ne m'en rends pas bien compte, non. C'est pour cela sans doute que vous parliez de liberté ?

— La liberté, celle que l'on peut trouver en soi, se cache sous le fatras des interdits que notre raison, notre éducation et notre héritage culturel et génétique ont déposés comme des couches de sédiments. A cela il faut ajouter toutes les influences qui pèsent sur nous. Elles interviennent sur chaque rouage de nos analyses, jugements, opinions, savoirs et cætera.

— Mais par où commencer si je veux vivre cette expérience du non-agir par moi-même ?

— Tu dois t'intéresser au flot de tes pensées. Non-agir avec elles. L'homme est un être qui pose des milliers de questions pour asseoir autant de certitudes. Nos pensées sont hyper actives parce qu'elles sont affamées de certitudes. C'est le malentendu inhérent de notre espèce. Nous courons après ce que nous appelons le « savoir », et la seule chose que nous attrapons est la pauvreté de l'esprit.

— Si les certitudes ne sont pas des atouts, elles apportent du-moins une certaine sérénité que je préfère aux doutes. Pas de certitude en vous Manter ? Pourtant, il me semble que vous savez précisément ce que vous faites, et où vous allez.

— Se sentir en possession de vérités indiscutables ou douter de toute assertion, c'est la même attitude d'esprit. Ces positions intellectuelles sont grandes consommatrices d'énergie. Je ne laisse traverser ni l'une ni l'autre. Toi, tu les crois opposées.

— Mais alors, que laissez-vous habiter votre esprit ?

— En moi, il n'y a que l'improvisation. Lorsque tu vis en t'appuyant sur des acquis fixes, c'est comme si tu jouais ta vie sur la scène d'un théâtre. Le comédien apprend son texte, il le répète et le répète jusqu'à ce qu'il soit connu par cœur. Ainsi, lorsque l'heure de la représentation arrive, il est en mesure de se sentir assuré que tout se passera bien. Mais pourtant ce n'est pas le cas. Il monte sur la scène avec une peur bleue. Le doute a payé son ticket et le regarde depuis les bancs, avec les autres spectateurs. Chaque regard, chaque paire d'oreilles épie l'instant du trou de mémoire, ou de l'erreur. Je n'apprends aucun scénario par avance, je n'ai donc aucune opinion sur rien, mais ce que je fais, je le fais avec la tranquillité de l'acteur qui écrit son texte dans le même temps qu'il le dit.

Je suis à la fois l'auteur, l'acteur et le spectateur innocent. Il ne peut y avoir d'erreur, puisque chaque événement s'inscrit de lui-même dans le texte.

— Voulez-dire que les aléas et accidents sont tous une partie intégrée du scénario ?

— Oui, c'est cela ! Je prends en moi ce qui se présente sans rien rejeter. Je vis comme cela parce que les mécanismes routiniers du mental sont désamorcés. Comme un morceau de bois flottant, je laisse me guider les courants énergétiques de la vie.

— Ça me paraît totalement abstrait. J'ai le sentiment qu'il me faut croire en une cause pour la suivre et la servir. J'ai besoin de me fixer un point à atteindre pour cheminer droit vers lui, et ce point je veux ne pas le quitter des yeux.

— Je comprends bien. Notre raison est dressée par cette vision linéaire de la cible et des moyens nécessaires pour l'atteindre. C'est pourquoi notre esprit sait peu fonctionner sans ces repères.

— Vous savez Manter, j'observe mes pensées chaque jour qui passe, mais je ne suis pas parvenu à exercer un contrôle sur elles. Elles s'imposent de toutes leurs forces. Comment faut-il faire ?

— Les pensées sont des préoccupations reliées aux expériences passées et aux craintes ou désirs de l'avenir. Elles ne s'imposent pas d'elles-mêmes, c'est toi qui les appelle. Tu les nourris comme tu nourrirais des chiens qui tournent autour de ta maison. Tu ne souhaites pas les voir pénétrer dans ton salon ou ta cuisine. Tu sais qu'ils prendront toute la place et que c'est toi qui devras déménager dans la niche installée dehors. Tu es bienveillant envers tes « dogs », malgré qu'ils t'empêchent de dormir, avec leurs aboiements incessants. Pourquoi ? Parce qu'une part de toi reste convaincue que tu as besoin d'eux. Qu'ils veillent sur ta maison et sur toi. Alors la relation affective que tu as tissée avec tes chiens les invite perpétuellement à l'invasion.

— Je saisis bien votre image jusque là, mais comment faire pour que mes chiens s'en aillent jouer dans le désert, qu'ils me rendent ma disponibilité ?

— Cesse de les nourrir ! Tu sais bien que les chiens qu'on délaisse finissent toujours par aller voir ailleurs. Comment ? Je vais te le dire. Plonge-toi dans l'instant. Imagine que tu marches sur un chemin qui longe une rivière. Un de ces cours d'eau rapides qui entraînent tout sur leur passage. Ton esprit est occupé et partagé par mille pensées. Des souvenirs de ton enfance remontant comme les effluves de la décharge aux détritus. Des monceaux de déchets, mais de simples pensées aussi, des remords et des regrets. Des projections dans l'avenir, des fantasmes, des désirs et des appréhensions. Des rêves, des besoins, des espoirs se frayent un chemin vers l'écran où les images se composent. Ils arrivent de quarante chemins qui convergent vers toi. Parce que tu es le centre de tes pensées.

— D'accord, j'y suis. Je marche sur ce chemin qui longe votre rivière en furie. La tête remplie – comme d'habitude – de ce dialogue incessant, et ensuite ?

— J'y viens mon cher, quelle impatience ! Ta distraction ne te permet pas de voir à temps un trou dans lequel tu glisses. Te voilà brutalement passé du chemin à l'eau du torrent qui t'emporte avec force. Que se passe t-il dans ta tête en cette seconde où tu es en train de te noyer ?

— J'imagine que mes chiens craignent trop l'eau pour m'avoir suivi dans la mort ! Lui rétorquai-je en souriant après quelques secondes de réflexion. Je ne pense plus qu'à une seule chose : « Que dois-je faire pour survivre ? ».

— C'est exact ! C'est parce que seul le temps présent se révèle essentiel dans cette occasion. Fais cette expérience ! Donne-toi au temps présent comme si c'était le dernier, tu verras que les chiens ne traînent plus autour de ta maison.

— Ok, je comprends, mais votre exemple n'est pas bon Manter ! Vous avez choisi un cas extrême pour illustrer en quoi consiste « stopper ses pensées ». Il est évident que dans ce genre de situation, les choses sont plus simples, elles se font toutes seules.

— Tu ne m'as pas entièrement compris. Lorsque tu te donnes au temps présent, c'est l'extrémité de ton être que tu touches. L'instant traversé en pleine conscience est toujours le dernier.

Cette dernière phrase tourna en boucle dans mon crâne. Comme ces brebis couchées sur leur ventre, qui ruminent l'herbe avalée pendant des heures, rappelant des boules de fourrage de leur panse. Elles les mâchouillent en prenant leur temps. Pour bien digérer, il ne faut pas se hâter. Je faisais remonter ces mots de mon estomac, car c'est là que je les reçus tout d'abord. Comme un coup de poing. Ils restèrent hermétiques. Comme des coquilles de noix qui résistent à la pince, retiennent leur fruit celé pour un autre jour. Pour une autre bouche, celle de la terre peut-être. Les enveloppes les plus dures te renvoient à plus tard, elles te disent en pleine figure que tu n'es pas prêt, pas assez costaud. Blessé, tu les mets de côté en te promettant d'aller chercher un outil plus adéquat, mais cette promesse, tu sais que tu ne pourras pas la tenir. C'est plus simple de cueillir un autre fruit, plus conciliant. Alors l'autre, tu le laisses glisser sur le sol, tu ne sais pas bien que ce que tu veux, c'est l'oublier, et tu l'oublieras. Jusqu'au jour où il te chatouillera sous les aisselles, parce que le sol est fertile, que la coque résistante a fini par se donner à lui. Et le sol est entré dans le fruit, l'a transformé. C'est un petit arbre, il a pris sa place, sans que tu le saches, sans que tu le veuilles, sans que tu puisses l'en empêcher. Tu ouvres grands les yeux tout surpris, et tu sens une fierté imbécile pointer en toi, tu t'exclames : « c'est dans mon jardin que cet arbre a poussé, dans mon propre terreau ! ».

« L'instant traversé en pleine conscience est toujours le dernier… ». Je croyais percevoir une dimension dramatique dans ces mots. Surtout le dernier, il ravivait en moi une tendance morbide. Je ne saisissais pas ce jour-là, que chaque instant est comme un maillon libéré de sa chaîne. Le premier et le dernier maillon d'une chaîne qui se borne en lui, le commencement et la fin.

« Manter, Je me souviens avoir déjà vécu quelque chose qui se rapproche de votre image. C'était l'année dernière. Je roulais avec mon scooter, en direction de mon lieu de travail. Je descendais une petite route, les mains dans les poches. Je sais, c'était très idiot de faire cela avec ma Vespa. Mais j'avais oublié mes gants et le froid bleuissait mes mains. Malheureusement pour moi, il y avait un nid de poule que je n'ai pas réussi à éviter, j'allais trop vite. Le cyclomoteur et moi, nous nous sommes séparés si brutalement que j'eus à peine le temps de réaliser que j'étais en train de voler. Lorsque j'ai retouché le sol, j'étais sur le côté de la route. Je descendais une espèce de fossé herbu qui longeait la voie sur sa droite. Oui ! Je descendais en accomplissant des roues parfaites, il m'était impossible de contrôler ce que je faisais, la vitesse de mon corps et la longue et forte pente m'emportaient. Quelques piétons regardaient la scène, mais je ne pouvais m'en rendre compte, ce sont eux qui me complétèrent, par leur récit, tout le fil de mon aventure. J'ai dû faire une trentaine de roues dans ce fossé. Je sais que mon esprit était tout entier dans chacune, à la fois terrorisé et impressionné par ce que mon corps était en train de faire. Je regardais mes mains se poser sur le sol, l'ensemble du paysage faisait sa rotation inverse, puis mes pieds m'apparaissaient à nouveau. De temps en temps, un petit arbre surgissait sur ma trajectoire. Je me souviens avoir pensé à m'y accrocher pour stopper cette course folle. Chaque figure était comme un espace entier, aussi séparé des précédentes que de celles qui suivirent… Je finis par empoigner un jeune arbuste assez solide et ma course s'arrêta là. J'étais indemne ». Je fis une pause, je ne savais plus pourquoi je lui faisais ce récit.

— Pourquoi est-il si difficile de vivre l'instant présent lorsque nous ne sommes pas forcés par une situation terrible ? Est-ce bien la question que tu allais me poser ?

— Euh… Oui, je crois bien que c'est celle là ! Dis-je en le regardant rire de ma confusion.

— C'est simple, lorsque nous nous sentons menacés, ou pris dans une situation à haut stress, notre sentiment d'importance et tous les processus qui l'alimentent sont mis de côté. Dans l'urgence, nous devenons conscients de notre « rienté » et de notre « éphémérité ». Alors nous nous battons pour l'essentiel, la survie. Les routines de nos pensées, les souvenirs du passé, nos espoirs et fantasmes, n'ont pas leurs noms inscrits sur le casting. L'ego n'a plus le temps de dresser son théâtre, il ne sait pas lire de scénario de toute façon. Seule l'action la plus vivante et la plus sûre nous intéresse.

— Et l'action la plus vivante, c'est celle de l'instant présent, bien entendu. Ce que vous me dites là me semble une évidence. C'est parce que nous y sommes en totalité qu'elle est si vivante. C'est parce qu'à nos yeux, nous sommes si important que nous refusons de croire que notre vie va cesser. Alors nous traversons la vie comme si nous étions éternels, n'accordant qu'une attention de surface à tout ce que nous croisons. C'est bien cela, n'est-ce-pas ?

— C'est un bon résumé ! Et quelle conclusion ajouterais-tu à tes propos ?

— Qu'il me faut perdre mon arrogance ! Lui répondis-je en éclatant de rire. Et apprendre l'humilité.

Remerciements

J'adresse les remerciements les plus doux à toutes les personnes qui m'ont encouragé et apporté leur aide affectueuse et fidèle afin que je trouve la paix et le courage de mener à son terme ce travail de rédaction.

Pensées vers vous mes frères et sœurs, que les vents de la vie ont tenus éloignés de cette expérience et installa une brume entre vous et moi.

J'espère que le récit de ces souvenirs portera plaisir et réconfort à tous ceux que j'avais en tête lorsque j'écrivis ces pages, à tous mes proches et enfants que j'ai perdu de vue, et bien entendu, à vous lecteurs anonymes.

Achevé d'imprimer en France
Protection IDDN